강력한 동국대 자연계 수리논술

기출문제

저자 소개

저자 김근현은 현재 탁트인 교육, 일으킨 바람, 에듀코어 대표이다.
前 메가스터디 온라인에서 대입 논술과 면접, 자기소개서, 학생부종합 등 다양한 동영상 강의를
하였다.
현재는 학습 프로그램 개발 및 연구 활동을 통해 교육의 발전을 고민하고 있다.
홍익대학교에서 전자전기공학부를 졸업하고 동대학원에서 전자공학 석사(반도체 레이저)를
전공하였다. 또한 연세대학교 교육경영최고위자 과정을 마쳤으며 연세대학교 교육대학원에서
평생교육 경영을 공부하고 있다.

강력한 동국대 자연계 수리논술 기출문제

발   행 | 초판 2019년 12월 03일
         개정판 2023년 05월 31일
         개정3판 2024년 03월 18일
저   자 | 김근현
펴낸이 | 김근현
펴낸곳 | 일으킨 바람
출판사등록 | 2018.11.12.(제2018-000186호)
주   소 | 경기도 고양시 일산서구 하이파크 3로 61 409동 1503호
전   화 | 031-713-7925
이메일 | illeukinbaram@gmail.com

ISBN | 979-11-93208-19-9

www.iluekinbaram.com

강력한

동국대 자연계

수리논술

기출문제

김근현 지음

차례

아름다울 학창 시절!
너무 귀하고 소중한 시간!
미래를 위해
하루하루 부단히 노력하는
수험생을 응원합니다,

머리말

　책을 쓰기 위해 책상에 앉으면 늘 아쉬움과 안타까움, 나의 게으름에 늘 한숨을 먼저 내 쉰다.
'왜 지금 쓸까?'
'왜 지금에서야 이 내용을 쓸까?'
'지금까지 뭐했을까?'
자책을 한다.

또 애절함도 함께 느낀다.
시험이 코앞인데 그때 급한 마음에 달려오는
수험생들에게 왜 제대로 준비된 걸 챙겨주지 못했을까?
늘 그렇게 하루, 한 달, 일 년 그렇게 몇 해가 지나 이제야 조금 마음의 짐을 내려놓는다.

늘 예상하지 못하는 우리의 길,……
입에 단내나도록 강의하고,
학생들과 머리를 맞대고 또 진로에 대해서도 고민한다.
코앞에 다가온 대학 입시!
연속된 긴장감과 초조함을 너무너무 가까이에서
긴박하고 처절한 수험생의 노력과 도전을 자주 본다.

그래서,
부디 이 책으로 희망하는 꿈에 한 걸음 더 다가갈 수 있길 소망한다.

김 근 현

I. 자연계 논술이란?

1. 논술이란?

1) 논술이란?

어떤 문제에 대해 자기 나름의 주장이나 견해를 내세운 다음, 여러 가지 근거를 제시하여 그 주장이나 견해가 옳음을 증명하는 글쓰기 활동을 말한다. 따라서 논술의 가장 기본적인 요소는 주장과 근거이다. 다시 말해 어떤 주제에 관해서 자신의 견해를 밝히고 자기 의견을 내세우는 글이 바로 논술이다. 때문에 논술은 특별히 논리적이어야 한다는 요구를 받게 된다. 왜냐하면 여러 가지 의견이 있을 수 있는 문제에 대해 자신의 의견을 세워 다른 사람을 설득하려면, 그 주장이 충분한 근거 위에서 논리적으로 개진될 때만 가능하기 때문이다.

2) 대한민국 논술 고사는?

한국에서의 대학 입시 논술고사는 실제 교과 과정과 교과서가 기본이 되어 응용된 사고와 풀이 능력과 지식을 바탕으로 한다. 논술고사는 비판적으로 글을 읽는 능력과 창의적으로 문제를 설정하고 해결하는 능력 그리고 논리적으로 서술하는 능력을 종합적으로 평가하는 시험이다. 비판적으로 글을 읽는다는 것은 능동적으로 자신의 관점에서 글을 읽는 것을 말하며, 창의적으로 문제를 설정하고 해결하는 능력이란 심층적이고 다각적으로 논제에 접근함으로써 독창적인 사고와 풀이를 이끌어낼 수 있는 능력을 말한다. 그리고 논리적 서술 능력은 글 구성 능력, 근거 설정 능력, 표현 능력 등을 포괄한다.

3) 자연계 논술? 그리고 그 변화

그런데 대한민국 논술 고사에서 언급한 글쓰기의 분석은 자연계에서는 조금 다르게 사고하고 접근하여야 한다. 즉 모든 글은 일반적으로 3가지 종류로 나뉘어진다. 시, 소설 등 문학 작품과 같은 글쓰기인 창작적 글쓰기(creative writing) 와 설명문이나 해설문의 글쓰기는 해명적 글쓰기(expository writing), 그리고 논설문의 글쓰기인 비판적 글쓰기(critical writing) 가 있다. 하지만, 현재 대한민국의 자연계 논술은 해명적 글쓰기 즉 설명문의 형태가 주로 이루어져 있고, 비판적 글쓰기가 일부 있는 형태이다.

2. 자연계 논술의 대비

1) 논술의 기본 용어

① 논제 : 논술의 문제를 의미한다.

반드시 해결하고 접근하여야 할 논술 시험의 대상이다.

　가. 중심 논제 : 채점할 때 가장 배점이 높으며, 핵심적으로 해결해야 할 논술의 문제

　나. 세부 논제 : 큰 논제 속에 포함된 작은 문제, 각 단계별 채점의 기준이 되며 세부 채점 항목으로 필수 해결 항목이다.

② 논거 : 논술에서 설명하고 주장하는 논리적인 근거 혹은 이유

③ 주장 : 수험생이 생각하고 채점자에게 알리고 싶은 생각

④ 제시문 : 보기 지문을 말한다.

　　가. 출제자가 논제해결을 위해 보여주는 다양한 글과 자료

　　나. 각종 공식, 수학 이론, 과학 이론, 그래프, 도표, 그림 등 자료가 정해져 있지는 않다. 하지만 고등학교 교과서를 가장 많이 인용하고, 고등학교 교과 과정으로 분석하고 판단할 수 있는 내용을 제시한다.

⑤ 개요 : 논제에 맞게 더 구체적으로는 세부 논제에 맞게 글의 진행방향을 간략하게 정리하는 과정이다.

2) 자연계 논술의 명령어

논술 고사 후 대학의 발표 자료를 보면 논술은 출제자의 의도에 부합하게 글을 써야 한다고 강조한다. 그런데 출제자의 의도를 파악하는 것은 자칫 상당히 모호하고 주관적인 것으로 판단하기 쉽다.

하지만 자연계 논술에서는 명령어가 한정되어 있다. 그 명령어들을 잘 익히고 의미를 파악한다면 훨씬 논술의 이해가 높아질 것이다. 또한 대학의 채점기준에는 명령어의 요구 조건을 충족 여부를 평가한다. 그러므로 자연계 논술의 명령어는 처음 시작하는 수험생에게는 아주 기초적이지만 절대 잊지 말아야 할 중요한 핵심이다.

① ~ 에 대해 논술하시오.

　; 주장을 밝히고 근거를 제시한다.

② ~ 에 대해 설명하시오.

　: 사실, 주장 등을 쉽게 풀어서 밝힌다.

> ● ~ 제시문 간의 관련성을 설명하시오.
> ● ~ 제시문의 논리적 타당성과 문제점을 설명하시오.
> ● ~ 제시문을 참고하여 주어진 자료의 특징을 설명하시오.
> ● ~ 제시문의 관점에서 왜 그런 현상이 생기는지 그 이유를 설명하시오.

③ ~ 의 비교하시오. 혹은 대조하시오.

　: 공통점과 차이점을 중심으로 설명한다.

> ● ~ 공통점과 차이점을 설명하시오.

④ ~ 을 분석하시오.

　: 주제를 구성요소로 나누고 각 부분의 의미와 상호관계를 밝힌다.

⑤ ~ 제시문과 주어진 자료를 참고하여 현상을 예측해 보시오.

　: 주어진 자료를 해석하고 자료로부터 얻을 수 있는 시간에 따른 변화나 자료의 발생 이유를 살핀다.

⑥ ~ 제시문의 문제점을 지적하고 그 문제점을 해결할 방법을 제시하시오.

　: 보통은 수학이나 과학의 역사에서 발생했던 여러 오류나 실험과정에서 나타난 문제점을 가지고 있다. 또한 이론이나 실험, 학생의 실험보고서 등과 같이 확실한 오류가 있는 제시문을 주기도 한다. 분명히 문제점을 파악하여 답안에 서술하고 문제점이

나 해결할 수 있는 방법 등을 명확히 하여야 한다.

> ● ~ 제시문의 관점에서 왜 그런 현상이 생기는지 그 원리를 설명하고 그런 현상을 예방할 수 있는 방안을 제시하시오.
> ● ~ 문제점을 지적하고 합리적 대안을 제안해 보시오.
> ● ~ 주어진 관점을 검증할 수 있는 방법을 논하시오.
> ● ~ 주어진 문제점을 해결할 수 있는 실험을 설계해 보시오.

⑦ 제시문의 관점에서 주장을 비판하시오.

: 어떤 주장의 타당성이나 가치 등을 평가한다.

3) 자연계 논술 글쓰기 유의사항

① 논제의 해결이 핵심이다. 출제자가 원하는 답을 써야 한다.

② 논제에 부합하는 글을 일관성 있게 써야한다.

③ 단순한 문제 풀이가 아니다. 한편의 글을 완성하여야 한다.

④ 단정적인 문장은 예외를 부정하거나 특정 사례만을 나타내어 피하여야 한다.

⑤ 확실한 답을 요하는 문제에서 추측성 표현은 피해야 한다. 자신감이 없으며 근거가 취약해질 수 있다

⑥ 제시문을 활용, 인용하는 것과 제시문을 그대로 옮기는 것은 다르다. 적절하게 제시문의 내용을 사용하여 논제를 해결하여야 한다는 것을 의미한다. 절대 제시문의 문장을 그대로 가져오는 것과 혼동하면 절대 안 된다. 금기사항이고 감점요인이다.

⑦ 부적절한 문장 즉, 비문을 만들지 말아야 한다. 주어와 서술어가 적절하게 있어 문장의 의미를 명확히 전달하여야 한다. 주어를 생략하거나 지시어를 과도하게 사용하면 문장의 의미가 모호해진다.

⑧ 문장은 짧고 간결하게 써야 한다. 자연계 글쓰기를 하다 보면 수식과 공식, 그래프 등으로 문장이 끊어지지 않고, 몇 줄을 한 문장으로 쓰는 경우가 많다. 자신의 의견을 명확히 간결하고 효과적으로 밝혀야 한다.

4) 자연계 논술 확인 사항

① 시간의 제한이 시험이다. 논술 시험은 자유롭게 글을 쓴다고 생각하고 주어진 시간을 체크하지 않는 경우가 정말 많다. 대학별로 요구하는 시간에 알맞게 답안을 구성해야 한다.

② 자연계라고 해서 문단의 구성, 맞춤법, 띄어쓰기 등을 무시하면 절대 안 된다. 글쓰기의 기본은 의미의 전달 과정임으로 효율적인 연습과 준비가 되어 있어야 한다.

③ 습관적으로 물어보는 의문문, 같이 할 것을 제안하는 청유형은 사용하지 않는 것이 좋다. 문법의 오류가 아니라 글의 격을 떨어뜨리고, 매우 단조롭고 어색할 수 있다.

④ 초창기 논술은 도입부인 서론을 자연계 논술에서도 사용하였다. 하지만 지금은 모든 대학이 논제 해결을 핵심으로 생각하므로 서론에 해당하는 도입과정은 과감히 생략하고 바로 논점으로 들어간다.

⑤ 한국어에는 수동태가 없다. 그러나 워낙 영어 번역하며 많이 사용하다 보니 논술 답안에도 자주 사용한다. 직설적인 표현이어야 한다. 수험생이 대학의 논술 답안지에 답안을 쓰는 것이다. 대학의 논술 답안지가 수험생으로부터 답안의 쓰임을 당하는 것은 아니다.

⑥ 자칫 착각을 해서 논술을 멋진 글쓰기라고 생각해 감상적이거나 비유적인 표현을 쓰는 경우가 있다. 오히려 이런 표현은 논제의 해결에 혼동을 준다. 또한 일상에서 사용하는 구어체 또한 사용하면 안 된다. 논술은 글쓰기에서 쓰는 딱딱한 문어체를 사용하는 것이 옳다.

⑦ 아무리 강조해도 글씨의 중요성은 지나치지 않을 것이다. 채점자들의 가장 큰 애로점 중 하나는 이해할 수 없는 학생들의 글씨라고 한다. 글씨체를 갑자기 바꿀 수 없지만, 타인이 알 수 있게 규칙적으로 줄을 맞춰 쓰고, 분량에 맞게 큰 글씨로, 급하게 글씨를 흘려 쓰지 말고 정자체로 답안을 작성하여야 한다.

3. 자연계 논술 실전

1) 각 대학별 논술 유의 사항을 파악하라!

거의 모든 대학에는 논술의 글자 수 제한이 자연계에서는 없다. 그래서 논술 문항별 칸을 만들거나 밑줄 답안 형식을 취한다. 물론 아직도 줄을 제한을 두는 것과 같은 형태로 제한하는 학교도 있다. 논술 시험 시간은 각 대학별로 다양하다. 대학별로 준비해야 하는 중요한 이유이다. 답안을 작성하는 필기구도 다양하다. 연필(샤프펜)의 사용이 꾸준히 증가하지만, 검정색 볼펜이나 청색 볼펜으로 사용하는 학교도 많다. 주의할 것은 수정법이다. 수정은 학교에 따라 수정액, 수정테이프의 사용을 제한하기도 하고, 틀리면 두 줄을 긋고 수정해야 하는 곳도 있다. 그러므로 대학마다 특징을 파악하고, 미리 답안 작성 연습은 물론이고 작성할 때도 대학별로 금지하는 내용을 숙지하고 시험장에 가야 한다.

각 대학별 유의사항 사례

사례 1)

　가. 답안은 한글로 작성하되, 글자수 제한은 없다.

　나. 제목은 쓰지 말고 특별한 표시를 하지 말아야 한다.

　다. 제시문 속의 문장을 그대로 쓰지 말아야 한다.

　라. 반드시 본 대학교에서 지급한 필기구를 사용하여야 한다.

　마. 수정할 부분이 있는 경우 수정도구를 사용하지 말고 원고지 교정법에 의하여 교정하여야 한다.

　바. 본 대학교에서 지급한 필기구를 사용하지 않거나, 수정도구를 사용한 경우, 답안지에 특별한 표시를 한 경우, 또는 원고지의 일정분량 이상을 작성하지 않은 경우에는 감점 또는 0점 처리한다.

사례 2)

　Ⅰ. 필요한 경우 한 개 또는 여러 개의 제시문을 선택하여 논의를 전개하고, 사용한 제시

문은 꼭 참고문헌 형태로 표시하시오.

    예) …[제시문 1-4].

    예) …되며[제시문 2-4], …의 경우는 ~을 보여준다[제시문 2-1].

Ⅱ. [문제 1]부터 [문제 4]까지 문제 번호를 쓰고 순서대로 답하시오.

Ⅲ. 연필을 사용하지 말고, 흑색이나 청색 필기구를 사용하시오.

Ⅳ. 인적사항과 관련된 표현을 일절 쓰지 마시오.

Ⅴ. 문제당 배점은 동일함.

사례 3)

◇ 각 문제의 답안은 배부된 OMR 답안지에 표시된 문제지 번호에 맞춰 작성하시오.

◇ 각 문제마다 정해진 글자수(분량)는 띄어쓰기를 포함한 것이며, 정해진 분량에 미달하거나 초과하면 감점 요인이 됩니다.

◇ 답안지의 수험번호는 반드시 컴퓨터용 수성 사인펜으로 표기하시오.

◇ 답안은 검정색 필기구로 작성하시오. (연필 사용 가능)

◇ 답안 수정시 원고지 교정법을 활용하시오. (수정 테이프 또는 연필지우개 사용 가능)

◇ 답안 내용 및 답안지 여백에는 성명, 수험번호 등 개인 신상과 관련된 어떤 내용, 불필요한 기표하면 감점 처리됩니다.

사례 4)

◆ 답안 작성 시 유의사항 ◆

□ 논술고사 시간은 90분이며, 답안의 자수 제한은 없습니다.

□ 1번 문항의 답은 답안지 1면에 작성해야 하고, 2번 문항의 답은 답안지 2면에 작성해야 합니다. 1, 2번을 바꾸어 작성하는 경우 모두 '0점 처리'됩니다.

□ 연습지는 별도로 제공하지 않습니다. 필요한 경우 문제지의 여백을 이용하시기 바랍니다.

□ 답안은 검정색 또는 파란색 펜으로만 작성하며 연필, 샤프는 사용할 수 없습니다.

□ 답안 수정은 수정할 부분에 두 줄로 긋거나 수정테이프(수정액은 사용 불가)를 사용해서 수정합니다.

□ 답안지에는 답 이외에 아무 표시도 해서는 안 됩니다.

□ 답안지 교체는 고사 시작 후 70분까지 가능하며, 그 이후는 교체가 불가합니다.

2) 제시문에 먼저 눈을 두지 말고 문제를 파악하라!!!

대학별 고사인 논술의 어려운 점은 시간의 제한이 있는 글쓰기 시험이라는 것이다. 자유롭게 잘 쓸 수 있는 내용일지라도 시간의 제한이 있으면 얘기가 달라진다. 특히 지금과 같이 각 대학별로 다양하게 등장하는 시험에 익숙하지 않은 수험생에게는 더 큰 부담으로 작용을 한다.

대학에서는 다양하게 제시문과 문제를 분포시킨다. 문제를 등장시키고 제시문이 등장하는 경우, 그림과 도표, 그래프 등과 같이 자료를 제시하고 제시문과 문제를 함께 등장시키는 경우, 제시문을 많이 등장시키고 마지막에 문제를 제시하는 경우 등… 이렇듯 다양한 문제에 시간의 적절한 활용은 대학별 고사의 실전에서는 당락을 결정하는 중요 요소이다.

이러한 실전적 논술에서 핵심은 바로 목적성을 지닌 제시문의 읽기가 선행되어야 한다. 목적성 지닌 글 읽기의 핵심은 문제를 통해 논제를 구체적으로 파악하고 그 논제에 부합하는 제시문의 분석일 것이다.

---

① **문제를 먼저 확인하라!!** - 제시문을 읽고 문제를 보면 다시 긴 제시문을 또 읽어 시간을 낭비한다.

② **세부 논제 확인하라!!** - 한 문제라도 그 문제 속에서 다루는 논제는 여러 개가 될 수 있다. 그 내용을 파악하라.

③ **전제적 요건 파악하라!!** - 각 문제의 전제적 요건 및 글로 표현된 부연설명 등이 중요한 키워드가 될 수 있다.

II. 동국 대학교 논술 분석

1. 논술 유형

1) 전형 명칭 : 논술

2) 출제 구분 : 계열 구분

3) 출제 유형 : 수리 논술

4) 출제 방향 :

·고교교육 과정의 수학적 개념에 대한 이해도 및 적용 능력 등을 평가하는 풀이과정 중심의 수리논술

·계열별로 3개 문항으로 나누어 논술고사 실시

·선택 과목이 없으며 주어진 3문항을 논술하여야 함

계 열	자 연 계 열	자연계열 공통 문항(소문항 출제 가능)
문항	문항 1	수학 풀이과정 중심의 문제,
	문항 2	수학 풀이과정 중심의 문제,
	문항 3	수학 풀이과정 중심의 문제,

5) 출제 범위

·[2015 개정 교육과정] 수학교과 : 공통과목, 일반선택, 기하

6) 출제 문항수 :

·3문항 (출제영역 : 수리 3문항, 기존의 과학문항을 폐지하고 수학문제로 **변경**)

7) 시험 시간

·90분

8) 시험 필기구

·최종 답안 작성 시 흑색 볼펜만 사용 가능 (연필, 샤프 사용불가)

9) 시험의 특징

① 문항 2개 : 15줄 이내

② 문항 1개 : 27줄 이내

10) 시험 진행

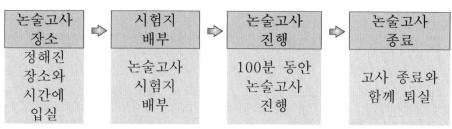

2. 전형요소 및 전형방법

1) 전형 방법

구 분		전형요소별 반영점수(실질반영비율)				수능최저학력기준
		논술	학생부		총점	
일괄합산		70%	30%		100%	있음
			교과	출결		
			20%	10%		
배점	배점	700	200	100	1000점	
	기본점수	350	100	50		

2) 수능최저학력기준

구분		수능최저학력기준		비고
		반영영역 및 적용기준(이내)		
인문계열		국어/수학/영어/탐구(사회 또는 과학) 2개 영역 등급 합 5 [한국사 4등급]		
경찰행정학부		국어/수학/영어/탐구(사회 또는 과학) 2개 영역 등급 합 4 [한국사 4등급]		인문/자연 공통
자연계열		국어/수학/영어/과학탐구 *2개 영역 등급 합 5* [한국사 4등급]		수학 또는 과탐 1개 이상 포함
약학과		국어/수학/영어/과학탐구 3개 영역 등급 합 4 [한국사 4등급]		
AI소프트웨어융합학부	인문	국어/수학/영어/탐구(사회 또는 과학) 2개 영역 등급 합 5 [한국사 4등급]		등급 합 산정 시 수학 포함
	자연	국어/수학/영어/과학탐구 2개 영역 등급 합 5 [한국사 4등급]		
① 국어 및 수학영역 선택과목 지정 없음				
② 사회 및 과학탐구영역은 2과목 중 상위 1과목만 반영하며, 제2외국어/한문 대체 없음				

2. 논술 전형 분석

1) 논술 전형 결과

(1) 2024학년도 논술 전형 결과

▶ 경쟁률, 실질경쟁률, 충원률 ◀

실질경쟁률 : 논술고사 응시자 중 수능최저학력기준을 충족한 지원자의 경쟁률
충원률 : 모집인원 중 수시최초합격 이후 추가로 합격한 비율

대학	모집단위	2024학년도 모집인원	2024학년도 전형결과			
			지원인원	2024학년도 경쟁률	실경쟁률	충원률
이과	수학과	4	4	77	19.25	50%
	화학과	4	84	21.00	4.25	25%
	통계학과	4	78	19.50	5.75	0%
	물리학과	3	59	19.67	2.67	0%
경찰사법	경찰행정학부(자연)	5	122	24.40	5.00	0%
바이오시스템	바이오환경과학과	4	90	22.50	4.75	0%
	생명과학과	4	91	22.75	4.25	0%
	식품생명공학과	5	105	21.00	5.20	20%
	의생명공학과	4	99	24.75	7.00	75%
공과	전자전기공학부	25	810	32.40	9.68	12%
	정보통신공학과	13	351	27.00	7.46	23%
	건설환경공학과	7	169	24.14	5.29	0%
	화공생물공학과	7	207	29.57	8.57	0%
	기계로봇에너지공학과	12	316	26.33	6.58	8%
	건축공학부	5	167	33.40	8.60	0%
	산업시스템공학과	7	199	28.43	7.00	14%
	에너지신소재공학과	6	150	25.00	8.50	33%
AI융합	AI소프트웨어융합학부(자연)	21	793	37.76	11.00	29%
	시스템반도체학부	4	94	23.50	6.00	25%
사범	수학교육과	5	78	15.60	4.00	60%
약학	약학과	5	1622	324.40	67.20	0%
자연 전체			5761	37.41	9.40	-

▶ 교 과 내 신 성 적 ◀

대학	모집단위	24학년도 모집인원	주요 교과 내신 등급 평균			상위 10과목 내신 등급 평균		
			평균	최저	표준편차	평균	최저	표준편차
이과	수학과	4	4.40	6.4	1.2	3.03	4.6	0.94
	화학과	4	3.78	4.3	0.54	2.73	3.3	0.58
	통계학과	4	3.85	5.1	0.88	2.83	4.3	1.03
	물리학과	3	3.87	4.4	0.45	2.87	3.4	0.41
경찰사법	경찰행정학부(자연)	5	3.16	3.9	0.56	2.24	2.8	0.43
바이오 시스템	바이오환경과학과	4	3.70	4.3	0.46	2.73	3.7	0.63
	생명과학과	4	3.73	5.2	0.93	2.73	4.1	0.89
	식품생명공학과	5	4.04	5.0	0.55	2.92	3.6	0.46
	의생명공학과	4	3.98	4.9	0.69	3.08	3.7	0.45
공과	전자전기공학부	25	4.18	6.6	0.92	3.09	4.9	0.79
	정보통신공학과	13	3.85	4.9	0.72	2.73	3.9	0.68
	건설환경공학과	7	4.13	5.0	0.72	3.17	4.0	0.68
	화공생물공학과	7	3.87	5.1	0.60	2.86	4.6	0.81
	기계로봇에너지공학과	12	3.73	5.0	0.79	2.64	4.1	0.82
	건축공학부	5	4.16	4.6	0.26	3.16	3.7	0.31
	산업시스템공학과	7	3.91	4.7	0.58	2.74	3.7	0.63
	에너지신소재공학과	6	3.88	5.3	1.08	3.00	4.4	1.14
	AI소프트웨어융합학부 (자연)	21	4.07	5.8	0.95	3.07	5.0	0.90
AI융합	시스템반도체학부	4	3.63	3.9	0.29	2.60	3.3	0.50
사범	수학교육과	5	4.32	5.8	1.16	3.02	4.7	1.26
약학	약학과	5	2.73	3.4	0.62	1.43	1.8	0.33
	자연 전체		3.93	6.6	0.86	2.87	5.0	0.83

▶ 논술고사 성적 ◀

대학	모집단위	24학년도 모집인원	논유술형	지원자 논술고사			점수 최종등록자		
				평균	최저	표준편차	평균	최저	표준편차
이과	수학과	4	자연	73.45	52.02	7.52	81.15	77.59	2.61
	화학과	4	자연	71.94	55.87	6.93	80.08	79.25	1.13
	통계학과	4	자연	75.10	60.95	6.55	86.31	82.31	5.23
	물리학과	3	자연	71.68	63.44	5.84	79.09	72.89	4.42
경찰사법	경찰행정학부(자연)	5	자연	72.11	54.80	5.86	81.33	78.01	2.80
바이오 시스템	바이오환경과학과	4	자연	69.82	59.78	6.60	79.79	77.55	3.22
	생명과학과	4	자연	70.18	52.02	7.19	79.63	77.10	2.76
	식품생명공학과	5	자연	72.10	57.02	6.25	80.05	78.47	1.10
	의생명공학과	4	자연	69.51	52.02	7.40	78.68	76.35	2.11
공과	전자전기공학부	25	자연	72.33	52.02	6.37	84.45	80.79	4.32
	정보통신공학과	13	자연	71.51	52.22	6.37	82.07	78.10	4.51
	건설환경공학과	7	자연	71.92	52.22	5.94	79.95	77.90	1.86
	화공생물공학과	7	자연	71.76	57.01	6.04	81.65	79.47	2.84
	기계로봇에너지공학과	12	자연	72.04	52.36	7.34	83.47	80.08	3.81
	건축공학부	5	자연	71.94	52.36	7.38	81.71	80.11	2.10
	산업시스템공학과	7	자연	72.03	56.17	6.96	82.00	79.33	2.12
	에너지신소재공학과	6	자연	72.59	56.45	6.99	82.93	80.83	1.97
AI융합	AI소프트웨어융합학부(자연)	21	자연	72.60	52.00	7.43	83.01	81.53	1.29
	시스템반도체학부	4	자연	71.65	52.00	7.97	80.92	78.99	1.59
사범	수학교육과	5	자연	70.74	50.62	8.11	76.51	75.25	1.26
약학	약학과	5	자연	73.02	50.00	7.01	92.47	90.30	1.18
자연 전체				72.29	50.00	6.95	82.40	72.89	4.10

(2) 2023학년도 논술 전형 결과

▶ 경쟁률, 실질경쟁률, 충원률 ◀

실질경쟁률 : 논술고사 응시자 중 수능최저학력기준을 충족한 지원자의 경쟁률
충원률 : 모집인원 중 수시최초합격 이후 추가로 합격한 비율

대학	모집단위	23학년도 모집인원	2023학년도 전형결과			
			지원인원	경쟁률	실경쟁률	충원률
이과	수학과	4	96	24.00	5.75	25%
	화학과	4	113	28.25	9.00	0%
	통계학과	4	110	27.50	9.50	50%
	물리·반도체과학부	7	215	30.71	11.00	29%
경찰사법	경찰행정학부(자연)	5	157	31.40	4.00	0%
바이오시스템	생명과학과	4	135	33.75	7.75	25%
	바이오환경과학과	4	131	32.75	9.25	25%
	의생명공학과	4	168	42.00	12.75	0%
	식품생명공학과	5	174	34.80	12.20	20%
공과	전자전기공학부	26	1124	43.23	14.58	42%
	정보통신공학과	13	499	38.38	13.77	23%
	건설환경공학과	7	223	31.86	8.57	14%
	화공생물공학과	7	292	41.71	13.57	43%
	기계로봇에너지공학과	7	246	35.14	9.86	14%
	건축공학부	5	186	37.20	10.80	40%
	산업시스템공학과	7	247	35.29	12.29	86%
	융합에너지신소재공학과	6	234	39.00	14.50	0%
AI 소프트웨어융합학부 (자연)		22	1,216	55.27	16.14	5%
사범	수학교육과	5	143	28.60	12.60	60%
약학	약학과	6	2153	358.83	84.17	17%
자연 전체			7,862	51.72	15.17	-

▶ 교과 내신 성적 ◀

대학	모집단위	23학년도 모집인원	주요 교과 내신 등급 평균			상위 103U목 내신 등급 평균		
			평균	최저	표준편차	평균	최저	표준편차
이과	수학과	4	3.75	4.4	0.38	2.13	2.8	0.58
	화학과	4	4.10	5.0	0.64	3.13	3.8	0.44
	통계학과	4	4.03	4.7	0.40	2.50	2.8	0.27
	물리반도체과학부	7	4.50	5.2	0.84	3.48	4.6	0.95
경찰사법	경찰행정학부 (자연)	5	4.28	4.8	0.43	3.05	3.5	0.38
바이오 시스템	생명과학과	4	4.77	6.2	1.03	3.80	4.8	0.82
	바이오환경과학과	4	3,90	4.5	0.49	2.87	3.3	0.54
	의생명공학과	4	3.58	4.3	0.51	2.55	3.2	0.50
	식품생명공학과	5	3.92	4.9	0.77	2.74	3.9	0.69
공과	전자전기공학부	26	4.30	5.8	0.80	3.16	4.7	0.90
	정보통신공학과	13	3.50	4.3	0.39	2.48	3.2	0.43
	건설환경공학과	7	4.23	5.2	1.01	3.15	4.3	1.18
	화공생물공학과	7	4.15	5.1	0.67	3.22	4.0	0.57
	기계로봇에너지공학과	7	3.86	4.4	0.48	2.86	3.7	0.57
	건축공학부	5	4.28	7.0	1.36	3.20	5.8	1.36
	산업시스템공학과	7	3.67	5.1	0.80	2.61	3.6	0.66
	융합에너지신소재공학과	6	4.07	5.1	0.55	2.93	3.7	0.52
AI 소프트웨어융합학부 (자연)		22	3.91	5.7	0.84	2.79	4.7	0.88
사범	수학교육과	5	3.58	4.1	0.52	2.38	3.1	0.52
약학	약학과	6	3.55	4.1	0.55	2.60	3.2	0.60
자연 전체			3.99	7.0	0.8	2.9	5.8	0.83

▶ 논술고사 성적 ◀

대학	모집단위	23학년도 모집인원	논술 유형	논술고사 점수					
				지원자			최종등록자		
				평균	최저	표준편차	평균	최저	표준편차
이과	수학과	4	자연	68.86	52.51	8.78	85.50	79.44	5.17
	화학과	4	자연	65.59	52.51	7.65	79.42	77.08	2.09
	통계학과	4	자연	67.35	52.51	8.54	81.12	74.90	5.27
	물리반도체과학부	7	자연	68.56	52.51	8.36	80.72	79.35	1.76
경찰사법	경찰행정학부 (자연)	5	자연	66.43	52.51	8.33	80.97	78.34	1.91
바이오 시스템	생명과학과	4	자연	63.49	52.51	7.66	77.25	75.71	2.01
	바이오환경과학과	4	자연	64.27	52.51	8.21	79.52	76.63	3.70
	의생명공학과	4	자연	65.73	52.51	7.47	78.56	76.39	1.82
	식품생명공학과	5	자연	65.84	51.31	7.63	79.75	76.85	3.60
공과	전자전기공학부	26	자연	66.69	51.31	8.33	81.18	77.93	3.77
	정보통신공학과	13	자연	66.64	51.64	8.38	82.75	78.89	3.23
	건설환경공학과	7	자연	65.52	52.04	8.61	81.27	79.32	1.63
	화공생물공학과	7	자연	66.75	50.00	8.21	83.00	79.80	3.01
	기계로봇에너지공학과	7	자연	66.97	51.48	8.44	84.69	79.75	3,83
	건축공학부	5	자연	65.97	51.48	7.98	79.85	76.53	1.79
	산업시스템공학과	7	자연	67.07	51.48	8.24	78.76	75.91	1.72
	융합에너지신소재공학과	6	자연	66.70	51.25	8.36	81.82	78.90	3.98
A1 소프트웨어융합학부 (자연)		22	자연	65.79	50.74	8.63	82.27	79.06	3.23
사범	수학교육과	5	자연	67.41	50.74	8.77	80.52	77.34	3.59
약학	약학과	6	자연	68.65	50.00	7.63	84.28	82.45	1.23
자연 전체				66.85	50.00	8.29	81.47	74.90	3.65

(3) 2022학년도 논술 전형 결과

▶ 경쟁률, 실질경쟁률, 충원률 ◀

실질경쟁률 : 논술고사 응시자 중 수능최저학력기준을 충족한 지원자의 경쟁률
충원률 : 모집인원 중 수시최초합격 이후 추가로 합격한 비율

대학	모집단위	22학년도 모집인원	2022학년도 전형결과			
			지원인원	경쟁률	실경쟁률	충원률
이과	수학과	6	140	23.3:1	8.7:1	33%
	화학과	5	122	24.4:1	9.4:1	20%
	통계학과	6	146	243:1	9.2:1	17%
	물리반도체과학부	7	177	25.3:1	8.6 : 1	14%
경찰사법	경찰행정학부 (자연)	5	178	35.6:1	7.8:1	0%
바이오 시스템	생명과학과	5	148	29.6:1	12.6:1	20%
	바이오환경과학과	5	135	27:1	7 : 1	20%
	의생명공학과	5	188	37.6:1	14.6:1	60%
	식품생명공학과	5	133	26.6:1	8 : 1	40%
공과	전자전기공학부	32	1,530	47.8:1	18.2:1	19%
	컴퓨터공학전공	13	719	55.3:1	21.8:1	46%
	정보통신공학전공	U	543	38.8:1	16:1	21%
	건설환경공학과	7	197	28.1:1	11:1	43%
	화공생물공학과	7	299	42.7:1	17.9:1	14%
	기계로봇에너지공학과	7	218	31.1:1	13.4:1	14%
	건축공학부	7	259	37 : 1	13:1	43%
	산업시스템공학과	7	232	33.1:1	13:1	0%
	멀티미디어공학과	6	190	31.7:1	12.7:1	17%
	융합에너지신소재공학과	6	226	37.7:1	15.2:1	50%
사범	수학교육과	5	163	32.6:1	11.8:1	20%
약학	약학과	6	3,501	583.5:1	115.7:1	0%
AI 융합학부 (자연)		5	173	34.6:1	13.8:1	20%
자연 전체			9,617	56.2:1	17.7:1	-

▶ 교과 내신 성적 ◀

대학	모집단위	22학년도 모집인원	주요 교과목 등급 평균			상위 10과목 등급 평균		
			평균	최저	표준편차	평균	최저	표준편차
이과	수학과	6	4.30	6.0	1.13	3.22	4.8	0.96
	화학과	5	4.60	5.0	0.57	3.37	4.0	0.69
	통계학과	6	3.28	46.0	0.84	1.97	3.1	0.67
	물리반도체과학부	7	5.06	8.0	1.32	3.59	6.2	1.23
경찰사법	경찰행정학부 (자연)	5	4.38	5.3	0.89	3.05	4.1	0.91
바이오 시스템	생명과학과	5	4.40	5.7	0.78	3.18	4.4	0.80
	바이오환경과학과	5	4.50	5.2	0.83	3.22	4.4	1.02
	의생명공학과	5	4.28	5.9	0.99	2.70	4.6	1.11
	식품생명공학과	5	4.30	5.5	1.12	2.90	3.6	0.92
공과	전자전기공학부	32	4.36	6.3	0.90	2.94	4.9	0.99
	컴퓨터공학전공	13	4.19	5.8	1.01	2.77	4.6	0.83
	정보통신공학전공	14	4.30	5.3	0.95	2.99	4.5	0.83
	건설환경공학과	7	3.90	4.6	0.59	2.80	3.3	0.46
	화공생물공학과	7	4.23	6.0	0.82	2.92	4.9	0.96
	기계로봇에너지공학과	7	4.24	5.4	0.85	2.80	4.0	1.02
	건축공학부	7	4.47	5.8	0.75	3.37	5.0	0.76
	산업시스템공학과	7	4.93	6.0	0.73	3.65	4.4	0.66
	멀티미디어공학과	6	4.03	45.0	0.38	3.05	3.8	0.56
	융합에너지신소재공학과	6	4.98	6.9	1.05	3.66	5.5	1.04
사범	수학교육과	5	4.08	5.1	0.61	2.68	4.2	0.87
약학	약학과	6	2.53	2.9	0.33	1.33	1.9	0.40
AI 융합학부 (자연)		5	3.80	4.8	0.75	2.42	3.5	0.80
자연 전체			4.27	8.0	0.99	2.95	6.2	0.99

▶ 논술고사 성적 ◀

| 대학 | 모집단위 | 22 학년도 모집인원 | 문제 유형 | 논술고사 점수 | | | | | |
| | | | | 지원자 | | | 최종등록자 | | |
				평균	최저	표준편차	평균	최저	표준편차
이과	수학과	6	자연	69.16	51.97	8.17	81.5	79.42	2.60
	화학과	5	자연	65.59	51.97	6.68	78.7	75.78	2.84
	통계학과	6	자연	66.64	51.97	8.55	82.07	78.11	3.16
	물리반도체과학부	7	자연	69.14	51.97	8.77	85.20	80.54	3.37
경찰사법	경찰행정학부 (자연)	5	자연	68.35	51.97	8.17	84.29	82.25	2.49
바이오 시스템	생명과학과	5	자연	66.91	51.97	8.5	82.28	79.66	1.92
	바이오환경과학과	5	자연	67.22	51.97	6.86	78.64	76.96	1.60
	의생명공학과	5	자연	66.66	51.97	8.58	83.09	79.52	3.52
	식품생명공학과	5	자연	65.62	51.75	7.25	76.94	74.50	2.51
공과	전자전기공학부	32	자연	67.63	51.16	9.26	87.86	83.86	2.96
	컴퓨터공학전공	13	자연	68.19	51.37	9.07	85.93	82.47	2.54
	정보통신공학전공	14	자연	67.76	51.69	8.57	84.16	81.22	2.93
	건설환경공학과	7	자연	66.81	51.69	8.45	82.28	78.01	4.22
	화공생물공학과	7	자연	66.76	52.55	8.38	85.67	83.47	2.07
	기계로봇에너지공학과	7	자연	69.17	52.46	8.71	87.41	84.87	2.82
	건축공학부	7	자연	68.66	52.46	8.81	85.61	81.13	3.66
	산업시스템공학과	7	자연	65.45	52.46	7.71	82.30	76.69	5.09
	멀티미디어공학과	6	자연	66.24	52.46	8.09	81.48	78.49	3.87
	융합에너지신소재공학과	6	자연	64.70	51.05	7.22	76.86	75.24	1.59
사범	수학교육과	5	자연	65.78	50.29	7.59	80.95	78.85	2.06
약학	약학과	6	자연	69.34	50.00	8.65	91.10	90.60	0.37
AI 융합학부 (자연)		5	자연	62.64	50.13	8.12	76.87	75.37	1.23
자연 전체				67.79	50.00	8.72	83.94	74.50	4.67

III. 유형 분석 및 대비법

2. 동국대 유형 분석

1) 유형 : 수리 문항

2) 답안 양식 : 밑줄형

3) 동국대가 제시하는 대표 논제(문제)의 명령어의 유형

① 논술하라
   주장을 밝히고 근거를 제시한다.
② 분석하라
   주제를 구성요소로 나누고 각 부분의 의미와 상호관계를 밝힌다.
③ 요약하라
   핵심내용이나 주장을 간략하게 정리한다.
④ 비교(대조)하라
   사물의 공통점이나 차이점을 밝힌다.
⑤ 비판하라
   어떤 주장의 타당성이나 가치 등을 평가한다.
⑥ 설명하라
   사실, 주장 등을 쉽게 풀어서 밝힌다.

4) 동국대가 요구하는 논술 글쓰기 요령

① 통일성과 완결성이 있는 글을 써야 한다.
② 논제의 핵심에서 벗어나면 안 된다.
③ 제시문 문장을 그대로 옮기는 것은 금물이다(특히 요약의 경우).
④ 부적절하고 맥락이 맞지 않는 지식 과시용 인용은 역효과로 작용한다.
⑤ 천편일률적 대안은 좋은 평가를 받지 못한다.
⑥ 동어반복, 누구나 아는 일반적인 진술, 문구는 삼간다.
⑦ 과격하고 지나친 단정은 위험하다.
⑧ 짧고 간결한 문장이 강한 인상을 남긴다.

5) 동국대가 요구하는 논술 방향

① 의문문, 청유형은 가능한 한 사용하지 않는다.
② 무의미한 진술을 삼가며 바로 논점으로 들어간다.
③ 주어를 생략하지 않는다.
④ 주어와 서술어가 일치하도록 한다.
⑤ 추측성의 모호한 어미는 피한다.
⑥ 감탄형 표현과 감상적인 어조는 피한다.
⑦ 번역투의 문장은 피한다.

⑧ 비유적 표현을 삼간다.

⑨ 가급적이면 깨끗하고 단정한 필체로 작성한다.

2. 기출문제 분석

기출 연도	제시문 구성
2024학년도 수시논술	타원의 방정식 및 평행이동
	포물선의 방정식 및 평행이동
	쌍곡선의 방정식 및 평행이동
	cos, tan 함수의 덧셈정리
	역함수의 미분
	미분을 통한 최대 최소, 치환적분, 정적분
	좌표평면에서의 속도와 속력
	함수의 최대, 최소
	음함수와 음함수 미분
2024학년도 모의논술 (2023년도 시행)	다항함수의 정적분,
	정적분을 활용한 입체도형의 부피
	구의 방정식,
	좌표공간에서 두 점 사이의 거리
	삼수선의 정리
	삼각함수의 일반각과 호도법
	이항분포, 평균, 표준편차
2023학년도 수시논술	포물선의 정의와 초점의 개념
	빛에 통해 본 포물선의 성질
	쌍곡선의 접선의 방정식
	이산확률변수의 기댓값과 분산 정의
	정적분과 급수의 합 사이의 관계
	두 수열이 수렴할 때 수열의 극한에 대한 기본 성질
	급수의 수렴, 발산의 뜻과 판별
	곡선으로 둘러싸인 도형의 넓이
	속도와 가속도
	입체도형의 부피
2023학년도 모의논술 (2022년도 시행)	코사인법칙
	삼각함수를 활용한 삼각형의 면적
	이차함수의 최대, 최소
	원에 내접하는 사각형의 마주보는 각의 합
	함수의 증가와 감소, 극대와 극소
	스넬의 법칙과 삼각함수
	도함수의 활용
	함수의 증감, 극대와 극소를 판정
2022학년도 수시논술	미분계수

	정적분의 뜻
	이계도함수
	미분계수의 기하적 의미
	속도와 가속도
	직선의 방정식
	속도와 가속도
	속도와 거리
	입체도형의 부피
	정적분의 의미, 다항함수의 정적분
	합성함수를 미분
2022학년도 모의논술 (2021년도 시행)	포물선의 뜻, 포물선의 방정식
	접선의 방정식
	이차곡선과 직선의 위치 관계
	확률의 덧셈정리
	조건부확률
	확률의 곱셈정리
	음함수와 역함수 미분
	부정적분과 정적분
2021학년도 수시논술	등비 수열, 지수 함수, 로그 함수
	이항분포의 의미와 평균 표준편차,
	정규분포의 의미와 표준 정규분포,
	정적분의 활용을 통한 도형의 넓이와 부피,
	치환적분법, 부정적분 및 정적분
	곡선과 x축 관계를 이용한 도형의 넓이와 정적분
2021학년도 모의논술 (2020년도 시행)	평면좌표, 두 점 사이 거리
	도함수, 속도
	매개변수로 나타낸 함수의 미분법
	음함수와 역함수
	함수의 개념
	함수의 증가와 감소, 극대 극소
	사잇값 정리
	확률의 뜻과 활용
	치환적분법
	합성함수 미분
2020학년도 수시논술	평면벡터의 성분과 내적, 두 평면벡터의 내적
	삼각함수의 뜻과 그 성질
	위치벡터, 평면벡터
	부정적분과 정적분
	확률의 뜻과 활용
	조건부확률

	사건의 독립과 종속의 의미
2020학년도 모의논술 (2019년도 시행)	함수의 그래프의 개형, 원뿔의 부피와 넓이
	일반각과 호도법의 뜻
	함수의 증감, 극대와 극소 판정
	확률변수와 확률분포의 뜻
	역함수
	함수의 증감, 극대와 극소 판정
	공간벡터
	두 공간벡터의 내적
2019학년도 수시논술	확률의 기본 성질
	조건부확률의 뜻과 의미
	여사건의 확률
	지수함수
	실생활에서의 미분
	치환적분
	분수 꼴의 함수의 부정적분 구하기
2019학년도 모의논술 (2018년도 시행)	에피사이클로이드
	사이클로이드의 개념과 함수의 관계
	미적분의 기본정리
	평균값 정리, 사잇값 정리
2018학년도 수시논술	함수의 극대, 극소
	함수의 최대, 최소
2018학년도 모의논술 (2017년 시행)	미분 가능시 극대, 극소
	부피의 정적분
2017학년도 수시논술	적분을 이용한 부피의 계산
2017학년도 모의논술 (2016년 시행)	함수의 연속
	확률밀도함수
	일상의 질병인 감기의 완치기간 추정
2016학년도 기출	구분구적법
	미분 가능한 삼각함수와 도함수
2016학년도 모의 1차 (2015년도 시행)	닮은 변환
	현수선 함수
2016학년도 모의 2차 (2015년도 시행)	가속도, 속도의 개념
	벡터의 개념을 활용한 위치의 관계
2015학년도 수시기출	구간 평균속도
	평균값 정리
	위치의 변화에 따른 속도
2015학년도 모의논술 (2014년도 시행)	로렌츠 곡선
	가구의 소득 분배율
	곡선의 볼록 판단

2014학년도 수시기출	자연계에 분포하는 자료의 특징
	단위의 변화에도 일정한 연속 변화
	상용로그
	연속확률밀도함수

IV. 논술 유의 사항

1. 논술 고사 시간

90분이다. 이 시간에 <u>세 문제</u>를 작성하여야 한다.

2. 답안의 글자수 제한

타 대학교 학교와 다르다. 자연계지만 줄 수로 <u>글자 수를 제한하고 있다</u>.

3. 답안의 작성

<u>문항별로</u> 작성해야 한다. 수식이나 그림 등은 자유롭게 쓸 수 있으나 분량을 꼭 지켜야한다.

4. 사용 필기구

가장 중요하고 특이한 부분이다. 답안은 검정색 펜만을 사용할 수 있다. 연필이나 샤프와 같이 지우개로 지울 수 있는 필기구의 사용을 금지한다.

5. 답안의 이외의 작성

답안에 아무것도 즉, 인사, 낙서, 이모티콘과 같은 그림 등은 표시하면 안 된다. 특히, 절대 자신의 신상과 관련된 표현 (학교, 이름, 지역 등)을 나타내는 표시가 발견되면 0점 처리된다.

6. 평가 방법

대분류 상, 중, 하로 평가하고, 그 안에서 S, A, B, C, D, E, F로 구성

대분류	중분류	채점 사항
상	S	채점 기준, 채점 요소를 모두 만족하는 경우
	A	채점 요수 중 구분 없이 만족하나, 1개 요소만 작성이 부족할 경우
중	B	채점 요수 중 구분 없이 3개 이상 만족하고, 2개 요소가 작성이 부족할 경우
	C	채점 요수 중 구분 없이 3개 요소만 작성하였을 경우
	D	채점 요수 중 구분 없이 2개 요소만 작성하였을 경우
하	E	채점 요수 중 구분 없이 1개 요소만 작성하였을 경우
	F	답안을 쓰지 않거나 채점요소와 관련없는 내용이나 비논리적인 내용을 작성한 경우

- 제시문과 문제에 대한 이해력, 문제에서 요구하는 답안 작성 능력(문제해결력), 논리력, 분석력 등의 종합적 사고 능력, 표현의 정확성(표현력) 등을 종합적으로 평가
 - 각 문항별 채점 기준에 따라 7점 척도로 평가
 - 3개 문항 배점의 합은 100점이 만점이며, 문항별 평가점수를 합산하여 반영총점으로 환산

Ⅴ. 동국대학교 기출

1. 2024학년도 동국대 수시 논술

※ 다음 제시문을 읽고 물음에 답하시오.

[가] 두 초점 $F(c,\ 0)$, $F'(-c,\ 0)$으로부터의 거리의 합이 $2a$인 타원의 방정식은

$$\frac{x^2}{a^2}+\frac{y^2}{b^2}=1(단,\ a>c>0,\ b^2=a^2-c^2)$$

이다. 타원 $\frac{x^2}{a^2}+\frac{y^2}{b^2}=1$을 x축의 방향으로 m만큼, y축의 방향으로 n만큼 평행 이동하면 타원의 방정식은

$$\frac{(x-m)^2}{a^2}+\frac{(y-n)^2}{b^2}=1$$

이다. 이때 타원의 초점, 꼭짓점은 각각 다음과 같다.

타원의 방정식 $\frac{x^2}{a^2}+\frac{y^2}{b^2}=1$	x축의 방향으로m만큼, y축의 방향으로n만큼 평행 이동 $\Longrightarrow$	타원의 방정식 $\frac{(x-m)^2}{a^2}+\frac{(y-n)^2}{b^2}=1$
$(c,\ 0)$, $(-c,\ 0)$	초점의 좌표	$(c+m,\ n)$, $(-c+m,\ n)$
$(a,\ 0)$, $(-a,\ 0)$ $(0,\ b)$, $(0,\ -b)$	꼭짓점의 좌표	$(a+m,\ n)$, $(-a+m,\ n)$ $(m,\ b+n)$, $(m,\ -b+n)$

- 『고등학교 기하』

[나] 초점이 $F(p,\ 0)$이고 준선이 $x=-p$인 포물선 $y^2=4px$를 x축의 방향으로 m만큼, y축의 방향으로 n만큼 평행 이동한 포물선의 방정식은 다음과 같다.

$$(y-n)^2=4p(x-m)$$

이때 포물선의 초점의 좌표는 $(p+m,\ n)$, 준선의 방정식은 $x=-p+m$이다.

-『고등학교 기하』

[다] 두 초점 $F(c,\ 0)$, $F'(-c,\ 0)$으로부터의 거리의 차가 $2a$인 쌍곡선의 방정식은 $\frac{x^2}{a^2}-\frac{y^2}{b^2}=1(단,\ c>a>0,\ b^2=c^2-a^2)$이다.

쌍곡선 $\frac{x^2}{a^2}-\frac{y^2}{b^2}=1$을 x축의 방향으로 m만큼, y축의 방향으로 n만큼 평행 이동하면 쌍곡선의 방정식은

$$\frac{(x-m)^2}{a^2}-\frac{(y-n)^2}{b^2}=1$$

이다. 이때 중심, 꼭짓점, 초점, 점근선은 각각 다음과 같다.

쌍곡선의 방정식 $\dfrac{x^2}{a^2}-\dfrac{y^2}{b^2}=1$	x축의 방향으로 m만큼, y축의 방향으로 n만큼 평행 이동 $\Longrightarrow$	쌍곡선의 방정식 $\dfrac{(x-m)^2}{a^2}-\dfrac{(y-n)^2}{b^2}=1$
$(0,\ 0)$	중심의 좌표	$(m,\ n)$
$(c,\ 0),\ (-a,\ 0)$	꼭짓점의 좌표	$(a+m,\ n),\ (-a+m,\ n)$
$(c,\ 0),\ (-c,\ 0)$	초점의 좌표	$(c+m,\ n),\ (-c+m,\ n)$
$y=\pm\dfrac{b}{a}x$	점근선의 방정식	$y-n=\pm\dfrac{b}{a}(x-m)$

-『고등학교 기하』

[문제 1] 다음 방정식에 대하여 물음에 답하시오. (단, k는 실수이다.)
$$x^2+y^2=(kx+1)^2$$

(1) $k=0$이면 주어진 방정식은 원의 방정식이다. 이 원의 중심과 반지름을 각각 구하시오.

(2) $k=\dfrac{1}{2}$이면 주어진 방정식은 타원의 방정식이다. 이 타원의 초점의 좌표와 꼭짓점의 좌표를 각각 구하시오.

(3) $k=1$이면 주어진 방정식은 포물선의 방정식이다. 이 포물선의 초점의 좌표와 준선의 방정식을 각각 구하시오.

(4) $k=2$이면 주어진 방정식은 쌍곡선의 방정식이다. 이 쌍곡선의 초점의 좌표와 점근선의 방정식을 각각 구하시오.

<15줄 이내> [30점]

※ 다음 제시문을 읽고 물음에 답하시오.

[가] 코사인함수와 탄젠트함수의 덧셈정리는 각각 다음과 같다.

$$\cos(\alpha+\beta) = \cos\alpha\cos\beta - \sin\alpha\sin\beta$$

$$\tan(\alpha+\beta) = \frac{\tan\alpha + \tan\beta}{1 - \tan\alpha\tan\beta}$$

- 『고등학교 미적분』

[나] 미분가능한 함수 $f(x)$의 역함수 $f^{-1}(x)$가 존재하고 미분가능할 때,

$$y = f^{-1}(x)\text{의 도함수는 } \left(f^{-1}\right)'(x) = \frac{1}{f'\left(f^{-1}(x)\right)}$$

- 『고등학교 미적분』

[다] 닫힌구간 $[a, b]$에서 연속인 함수 $f(x)$에 대하여 미분가능한 함수 $x = g(t)$의 도함수 $g'(t)$가 $a = g(\alpha)$, $b = g(\beta)$일 때 α, β를 포함하는 구간에서 연속이면

$$\int_a^b f(x)dx = \int_\alpha^\beta f(g(t))g'(t)dt$$

-『고등학교 미적분』

[문제 2] 함수 $f(x) = \sin x + 4x + 1$의 역함수 $f^{-1}(x)$가 존재하고 미분가능하다. 실수 t에 대하여 곡선 $y = f(x)$위의 점 $(t, f(t))$에서의 접선을 l_1, 곡선 $y = f^{-1}(x)$위의 점 $(f(t), t)$에서의 접선을 l_2라 하고, l_1과 l_2가 이루는 예각의 크기를 θ라 할 때, $g(t) = \tan\theta$라고 하자. 다음 물음에 답하시오.

(1) $g\left(\dfrac{\pi}{2}\right)$의 값을 구하시오.

(2) 함수 $g(t)$의 최솟값을 구하시오.

(3) $\displaystyle\int_{f(0)}^{f(2\pi)} g\left(f^{-1}(x)\right)dx$의 값을 구하시오.

<15줄 이내> [30점]

※ 다음 제시문을 읽고 물음에 답하시오.

[가] 좌표평면 위를 움직이는 점 P의 시각 t에서의 위치 (x, y)가 $x = f(t)$, $y = g(t)$일 때, 점 P의 시각 t에서의 속도는 $\left(\dfrac{dx}{dt}, \dfrac{dy}{dt} \right)$, 즉 $(f'(t), g'(t))$이고, 속도의 크기 또는 속력은 $\sqrt{\{f'(t)\}^2 + \{g'(t)^2\}}$ 이다.

－『고등학교 미적분』

[나] 함수 $f(x)$가 닫힌구간 $[a, b]$에서 연속이면 함수 $f(x)$는 이 구간에서 반드시 최댓값과 최솟값을 가진다.

－『고등학교 수학 Ⅱ』

[다] t의 함수 s가 방정식 $f(t, s) = 0$의 꼴로 주어졌을 때, 이를 s의 t에 대한 음함수 표현이라고 한다. 음함수 표현 $f(t, s) = 0$에서 s를 t의 함수로 보고, 양변의 각 항을 t에 대하여 미분하여 $\dfrac{ds}{dt}$를 구할 수 있다.

－『고등학교 미적분』

[문제 3] 그림과 같이 좌표평면 위에 중심이 원점 O이고 반지름의 길이가 1인 원과 x축 위의 점 $A(a, 0)$가 있다. (단, $2 \leq a \leq 3$) 점 P는 점 $(1, 0)$에서 출발하여, 시각 t가 $0 \leq t < \dfrac{\pi}{3}$일 때 $\angle POA = t$를 만족하도록 원 위를 반시계방향으로 움직인다. 점 A와 P를 잇는 직선이 원과 만나는 점 중 P가 아닌 점을 Q라 하자.

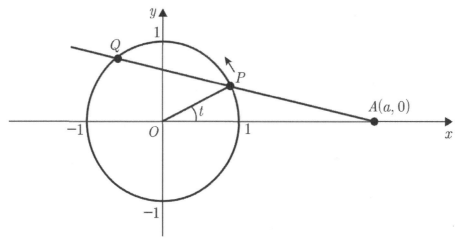

시각 $t = t_0$일 때, 점 Q의 위치는 $(0, 1)$이다. 다음 물음에 답하시오.

(1) $t = t_0$일 때, 점 Q의 속력을 a를 이용하여 나타내시오.

(2) $t = t_0$일 때, 점 Q의 속력이 최대가 되도록 하는 a의 값과 그 때의 점 Q의 속력을 구하시오.

<27줄 이내> [40점]

2. 2024학년도 동국대 모의 논술

※ 다음 제시문을 읽고 물음에 답하시오.

【가】 함수 $f(x)$가 임의의 세 실수 a, b, c를 포함하는 닫힌구간에서 연속일 때

$$\int_a^b f(x)dx + \int_b^c f(x)dx = \int_a^c f(x)dx$$

이다.

-『고등학교 수학II』

【나】 닫힌구간 $[a, b]$의 임의의 점 x에서 x축에 수직인 평면으로 자른 단면의 넓이가 $S(x)$인 입체도형의 부피 V는

$$V = \int_a^b S(x)dx$$

이다. 단, $S(x)$는 닫힌구간 $[a, b]$에서 연속인 함수이다.

-『고등학교 미적분』

[문제 1] 곡선 $y = x^2$과 직선 $y = 4x$로 둘러싸인 도형을 밑면으로 하고 x축에 수직인 평면으로 자른 단면이 모두 정사각형인 입체도형이 있다. 이 입체도형을 y축에 수직이며 y좌표가 4인 평면으로 잘라서 얻어진 두 입체도형 중에서 y좌표가 0이상 4이하인 영역에 속하는 입체도형의 부피를 구하시오.

<15줄 이내> [30점]

※ 다음 제시문을 읽고 물음에 답하시오.

[가] 중심이 (a, b, c)이고, 반지름의 길이가 r인 구의 방정식은

$$(x-a)^2 + (y-b)^2 + (z-c)^2 = r^2$$

--- 고등학교 기하

[나] 좌표공간에서 두 점 $A(x_1, y_1, z_1)$, $B(x_2, y_2, z_2)$사이의 거리는

$$\overline{AB} = \sqrt{(x_1-x_2)^2 + (y_1-y_2)^2 + (z_1-z_2)^2}$$

이다.

-- 고등학교 기하

[다] 공간에서 직선 l이 평면 α와 한 점에서 만나고 평면 α위의 모든 직선과 서로 수직일 때, 직선 l은 평면 α와 수직이라고 하며, 이것을 기호로

$$l \perp \alpha$$

와 같이 나타낸다. 이 때 직선 l을 평면 α의 수선이라고 하며, 직선 l과 평면 α가 만나는 점 O를 수선의 발이라고 한다.

---- 고등하교 기하

[문제 2] 중심의 x좌표, y좌표, z좌표가 모두 양수인 구 B가 x축과 y축에 각각 접하고 xy평면과 만나서 생기는 원의 넓이가 25π이다. 점 $P(10, 17, 3)$에서 이 xy평면위의 원까지의 거리의 최댓값과 최솟값을 구하고, 최대 및 최소가 되는 원 위의 점 Q, R을 각각 구하시오.

<15줄 이내> [30점]

※ 다음 제시문을 읽고 물음에 답하시오.

[가] 반지름의 길이가 r, 중심각의 크기가 θ인 부채꼴의 호의 길이를 l, 넓이를 S라고 하면

$$l = r\theta, \quad S = \frac{1}{2}r^2\theta = \frac{1}{2}rl$$

-『고등학교 수학 I』

[나] 어떤 시행에서 사건 A가 일어날 수학적 확률이 p이고, n회의 독립시행에서 사건 A가 일어나는 횟수를 X라고 하면 임의의 작은 양수 h에 대하여 확률 $P\left(\left|\frac{X}{n} - p\right| < h\right)$는 n이 한없이 커짐에 따라 1에 한없이 가까워진다.

-『고등학교 수학 I』

[다] 일반적으로 동일한 시행을 n번 반복해서 사건 A가 r_n번 일어난다고 하자.

시행 횟수 n이 한없이 커짐에 따라 상대도수 $\frac{r_n}{n}$이 일정한 값에 가까워지면 이 일정한 값을 사건 A가 일어날 통계적 확률이라고 한다. 현실적으로 시행 횟수 n을 한없이 크게 할 수 없으므로 n이 충분히 클 때의 상대도수 $\frac{r_n}{n}$을 통계적 확률로 사용한다.

한편, 어떤 시행에서 사건 A가 일어날 수학적 확률이 p일 때, 그 시행 횟수 n을 충분히 크게 하면 사건 A가 일어나는 상대도수 $\frac{r_n}{n}$은 수학적 확률 p에 가까워진다는 것이 알려져 있다.

따라서 통계적 확률과 수학적 확률은 같다는 것을 알 수 있다.

-『고등학교 수학 I』

[문제 3] 윷놀이의 한 시행은 총 4개의 윷가락(혹은 윷짝)들을 동시에 던지는 것이고, 각 윷가락은 아래 그림의 (ㄱ)과 같이 높이 10 cm, 반지름이 1 cm인 원통의 윗단면인 그림 (ㄴ)의 원 O에서 현 AB를 따라 원통을 수직으로 절단해서 4개의 윷가락들을 만들었다고 가정하자.

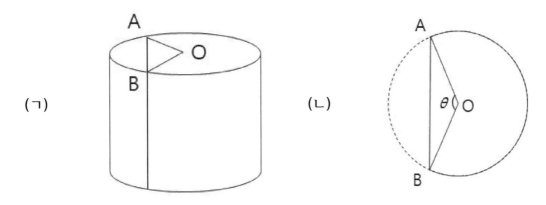

(ㄱ)   (ㄴ)

이렇게 제작된 4개의 윷가락들로 총 1000번의 시행으로 나타날 수 있는 결과는 다음과 같다.

결과	정의	빈도
도	4개의 윷가락 중 1개는 배, 3개는 등	110
개	4개의 윷가락 중 2개는 배, 2개는 등	311
걸	4개의 윷가락 중 3개는 배, 1개만 등	384
윷	4개의 윷가락 중 4개 모두 배	179
모	4개의 윷가락 중 4개 모두 등	16

다음 규칙에 따라 현 AB의 길이 d를 $\angle AOB = \theta$의 식으로 표현하라.

① 윷가락을 던졌을 때 반드시 등 또는 배가 위로 나타난다. 즉, 윗 단면이나 아랫 단면이 위로 나오는 결과의 확률은 0이다.

② 윷가락의 배와 등이 나타나는 확률은 각각 둥근 면과 평평한 면의 겉면적에 비례한다.

③ 각 윷가락은 확률 p로 현 AB의 수직 절단 면인 배(평평한 면)가 위로 나타나거나, 확률 $1-p$로 등(둥근 면)이 위로 나타나며, 서로 독립적으로 결과가 나타난다. 즉, 어느 하나의 윷가락의 결과가 다른 윷가락의 결과에 영향을 미치지 않는다.

④ $\angle AOB < \pi$이다.

<27줄 이내> [40점]

3. 2023학년도 동국대 수시 논술

※ 다음 제시문을 읽고 물음에 답하시오

【가】 평면 위의 한 점 F와 이 점을 지나지 않은 한 직선 k가 주어질 때, 점 F에 이르는 거리와 직선 k에 이르는 거리가 같은 점들의 집합을 포물선이라고 한다. 이때 점 F를 포물선의 초점, 직선 k를 포물선의 준선이라고 한다. 또, 포물선의 초점을 지나고 준선에 수직인 직선을 포물선의 축, 축과 포물선의 교점을 포물선의 꼭지점이라고 한다.

『고등학교 기하』

【나】 위성 방송 안테나는 포물선의 축에 평행하게 들어오는 전파가 포물선의 초점에 모이는 성질을 이용하여 약한 전파를 증폭하여 수신할 수 있게 한다. 또한, 자동차의 전조등이나 무대의 조명등은 포물선의 이런 성질을 거꾸로 적용한 것이다.

이제 포물선이 갖는 이와 같은 성질을 다음과 같이 증명해 보자.

(중략)

전파가 곡선 위의 한 점에서 반사된다는 것은, 그 점을 지나는 곡선의 접선에 대하여 입사각과 반사각의 크기가 같게 된다는 뜻이다. 따라서 포물선의 축에 평행하게 들어온 전파는 포물선에 반사되어 초점에 모이게 됨을 알 수 있다.

『고등학교 기하』

【다】 쌍곡선 $\dfrac{x^2}{a^2} - \dfrac{y^2}{b^2} = 1$ 위의 점 $P(x_1,\ y_1)$에서의 접선의 방정식은

$$\frac{x_1 x}{a^2} - \frac{y_1 y}{b^2} = 1$$

이다.

『고등학교 기하』

[문제 1] 그림과 같이 단면이 포물선 모양인 거울 $y^2 = 4x\,(0 \le x \le 4)$의 초점 $F(1,\ 0)$에서 쏜 빛이 포물선 위의 점 $G(2,\ 2\sqrt{2})$에 반사되어 직진한다. 또한, 이 빛은 단면이 쌍곡선 모양인 거울 $\dfrac{x^2}{18} - \dfrac{y^2}{4} = 1\ (3\sqrt{2} \le x \le 9)$ 위의 점 P에 반사되어 직진한다. 이때, 직선 l은 단면이 쌍곡선 모양인 거울 $\dfrac{x^2}{18} - \dfrac{y^2}{4} = 1\ (3\sqrt{2} \le x \le 9)$ 위의 점 P에 반사되어 직진한다.

이때, 직선 l은 단면이 쌍곡선 모양인 거울 $\dfrac{x^2}{18} - \dfrac{y^2}{4} = 1$ 위의 점 P에서의 접선이고, 빛이 점 P에서 반사되기 전과 후 직선 l과 이루는 각의 크기 α와 β는 같다. 다음 물음에 답하시오.

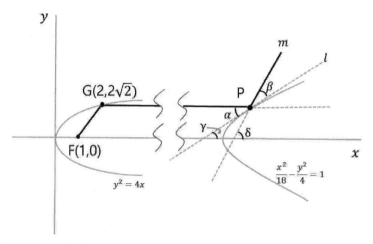

(1) 직선 l의 x절편을 구하시오.

(2) 직선 l과 x축이 이루는 예각 γ의 크기를 구하시오.

(3) 반사된 후 빛이 지나가는 반직선의 연장선 m이 y축과 이루는 예각 δ의 크기를 구하시오.

※ 다음 제시문을 읽고 물음에 답하시오.

【가】 이산확률변수 X의 확률질량함수가

$P(X=x_i)=p_i(i=1,\ 2,\ 3,\ \cdots,\ n)$일 때, X의 기댓값(평균)과 분산은 다음과 같이 정의된다.

① 기댓값(평균) $E(X)=x_1p_1+x_2p_2+\cdots+x_np_n$

② 분산

$$V(X)=E((X-m)^2)=(x_1-m)^2p_1+(x_2-m)^2p_2+\cdots+(x_n-m)^2p_n$$

$$(단,\ m=E(X))$$

위 분산은 다음과 같은 방법으로도 간단하게 구할 수 있다.

$$V(X)=E(X^2)-\{E(X)\}^2=\left(x_1^2p_1+x_2^2p_2+\cdots+x_n^2p_n\right)-m^2$$

-『고등학교 확률과 통계』

【나】 함수 $f(x)$가 닫힌구간 $[a,\ b]$를 포함하는 열린구간에서 연속일 때

$$\lim_{n\to\infty}\sum_{k=1}^{n}f(x_k)\Delta x=\int_a^b f(x)dx\quad(단,\ \Delta x=\frac{b-a}{n},\ x_k=a+k\Delta x)$$

-『고등학교 미적분』

【다】 두 수열 $\{a_n\}$, $\{b_n\}$이 $\lim_{n\to\infty}a_n=L$, $\lim_{n\to\infty}b_n=M(L,\ M$은 실수$)$일 때

① $\lim_{n\to\infty}ca_n=cL$, (단, c는 상수), ② $\lim_{n\to\infty}(a_n+b_n)=L+M$

③ $\lim_{n\to\infty}(a_n-b_n)=L-M$, ④ $\lim_{n\to\infty}(a_nb_n)=LM$,

⑤ $\lim_{n\to\infty}\dfrac{a_n}{b_n}=\dfrac{L}{M}($ 단, $b_n\neq0$, $M\neq0)$

-『고등학교 미적분』

[문제 2] 이산확률변수 X의 확률질량함수 $P(X)$가 다음과 같이 정의되었다고 가정할 때, $\lim_{n\to\infty}E(X)$와 $\lim_{n\to\infty}V(X)$를 구하시오.

① $P(X=x_i)=\dfrac{g(x_i)}{\displaystyle\sum_{j=1}^{n}g(x_j)}(i=1,\ 2,\ 3,\ \cdots,\ n)$

② $g(x)=e^{-ax}($단, $e=\lim_{x\to0}(1+x)^{\frac{1}{x}}$ 이다. a는 상수이고, $a>0$이다.$)$

③ $\Delta x=\dfrac{1}{n}$, $x_i=i\Delta x\ (i=1,\ 2,\ 3,\ \cdots,\ n)$

※ 다음 제시문을 읽고 물음에 답하시오.

【가】급수 $\displaystyle\sum_{n=1}^{\infty} a_n$의 부분합으로 이루어진 수열 $\{S_n\}$이 일정한 값 S에 수렴할 때, 즉

$$\lim_{n \to \infty} S_n = \lim_{n \to \infty} \sum_{k=1}^{n} a_k = S$$

일 때, 이 급수는 S에 수렴한다고 하고 $\displaystyle\sum_{n=1}^{\infty} a_n = S$와 같이 나타낸다.

-『고등학교 미적분』

【나】함수 $f(x)$가 닫힌구간 $[a, b]$에서 연속이고 $f(x) \geq 0$일 때, 정적분

$$\int_a^b f(x)dx$$

는 곡선 $y = f(x)$와 x축 및 두 직선 $x = a$, $x = b$로 둘러싸인 도형의 넓이와 같다.

『고등학교 수학II』

【다】좌표평면 위를 움직이는 점 P의 시각 t에서의 위치가 $x = x(t), y = y(t)$일 때, 점 P의 시각 t에서의 속도는 $(x'(t),\ y'(t))$이고 가속도는 $(x''(t),\ y''(t))$이다.

『고등학교 미적분』

【라】닫힌구간 $[a, b]$의 임의의 점 x에서 x축에 수직인 평면으로 자른 단면의 넓이가 $S(x)$인 입체도형의 부피 V는

$$V = \int_a^b S(x)dx$$

이다. 단, $S(x)$는 닫힌구간 $[a, b]$에서 연속인 함수이다.

『고등학교 미적분』

[문제 3] 시각 $t = 0$일 때 좌표평면 상의 원점 O에서 (a, b)의 속도로 쏘아올린 물체 M은 다음과 같은 규칙에 따라 움직인다. (단, a와 b는 상수이고, $a > 0$, $b > 0$이다.)

■ M은 크기를 무시할 수 있을 만큼 아주 작으며, 시각 t에서 M의 위치가 함수 $x = x(t)$, $y = y(t)$로 나타내어질 때 항상 $x(t) \geq 0$, $y(t) \geq 0$이다.

■ $y(t) > 0$인 시각 $t > 0$에서는 항상 M의 가속도는 $(0,\ -g)$이다. (단, g는 상수이고, $g > 0$이 다.)

■ M이 x축에 충돌하는 시각을 순서대로 $t = t_1,\ t_2,\ \cdots\ (0 < t_1 < t_2 < \cdots)$라 할 때, 각각의 충돌 시각 $t = t_n$에 대해 충돌 전후 M의 속도의 x성분은 변화가 없고, 충돌 직후 M의 속도의 y성분은 충돌 직전 M의 속도의 y성분의 $-\dfrac{1}{2}$배이다.

(1) $\lim\limits_{n \to \infty} t_n$의 값을 구하시오.

(2) M이 그리는 곡선과 x축으로 둘러싸인 도형의 넓이를 구하시오.

(3) 위 (2)번에서 기술한 도형을 밑면으로 하고 x축에 수직인 평면으로 자른 단면이 모두 정사각형인 입체도형의 부피를 구하시오.

4. 2023학년도 동국대 모의 논술

※ 다음 제시문을 읽고 물음에 답하시오.

【가】△ABC에서

$$a^2 = b^2 + c^2 - 2bc\cos A$$
$$b^2 = c^2 + a^2 - 2ca\cos B$$
$$c^2 = a^2 + b^2 - 2ab\cos C$$

-『고등학교 수학Ⅰ』

【나】삼각형 ABC의 넓이를 S라고 하면

$$S = \frac{1}{2}bc\sin A = \frac{1}{2}ca\sin B = \frac{1}{2}ab\sin C$$

-『고등학교 수학Ⅰ』

【다】x의 값의 범위가 $\alpha \le x \le \beta$ 일 때, 이차함수 $y = a(x-p)^2 + q$의 최댓값과 최솟값은 이차함수의 꼭짓점의 x좌표 p가 주어진 범위에 포함되는지 조사하여 다음과 같이 구한다.

(1) $\alpha \le x \le \beta$인 경우, $f(\alpha), f(\beta), f(p)$중에서 가장 큰 값이 최댓값이고, 가장 작은 값이 최솟값이다.

(2) $p < \alpha$ 또는 $p > \beta$인 경우, $f(\alpha), f(\beta)$ 중에서 가장 큰 값이 최댓값이고, 가장 작은 값이 최솟값이다.

-『고등학교 수학』

【라】원에 내접하는 사각형의 한 쌍의 대각의 크기의 합은 180˚이다.

-『고등학교 수학Ⅰ』

[문제 1] 원에 내접하는 사각형 ABCD의 네 변의 길이의 합이 22이고, $\angle A = 60˚$, $\overline{BD} = 8$ 일 때, $\overline{CB} + \overline{CD}$ 의 범위를 구하라. 그리고, 사각형 ABCD의 넓이가 최대가 될 때 $\overline{CB} + \overline{CD}$의 길이를 구하라.

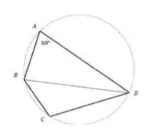

<15줄 이내> [30점]

※ 다음 제시문을 읽고 물음에 답하시오.

【가】미분가능한 함수 $f(x)$에 대하여 $f'(a) = 0$이고 $x = a$ 좌우에서
① $f'(x)$의 부호가 양에서 음으로 바뀌면 $f(x)$는 $x = a$에서 극대이다.
② $f'(x)$의 부호가 음에서 양으로 바뀌면 $f(x)$는 $x = a$에서 극소이다.

『고등학교 수학Ⅱ』

【나】두 매질 C_1, C_2에서 빛의 속도가 각각 v_1, v_2이고, 빛이 두 매질의 경계면을 통

과할 때의 입사각을 θ_1, 굴절각을 θ_2라고 하면

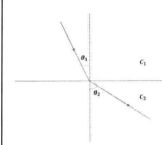

$$\frac{\sin\theta_1}{v_1} = \frac{\sin\theta_2}{v_2}$$

가 성립한다. 네덜란드의 수학자 스넬(Snell, 1580~1626)은 위와 같은 굴절의 법칙이 있다는 것을 발견하였는데, 두 점을 지나는 빛은 그 이동 시간이 최소가 되는 경로를 따라 이동한다는 것을 이용하여 증명할 수 있다.

『고등학교 미적분』

[문제 2] 좌표평면 상에서 움직이는 크기를 무시할 수 있는 아주 작은 물체가 $y \geq 0$인 부분에서는 1의 일정한 속력으로 이동하고, $y < 0$인 부분에서는 2의 일정한 속력으로 이동하는 성질을 가지고 있다고 하자. 그 물체가 점 $A(0, \sqrt{7})$에서 점 $B(2, -1)$까지 이동하는 데 걸리는 최소 시간을 구하시오.

<15줄 이내> [30점]

※ 다음 제시문을 읽고 물음에 답하시오.

【가】 a를 포함하는 어떤 열린구간에서 미분 가능한 함수 $f(x)$가 $x=a$에서 극값을 가지면 $f'(a)=0$이다.

『고등학교 수학Ⅱ』

【나】 수직선 위를 움직이는 점 P 의 시각 t에서의 위치 x가 $x=f(t)$일 때, 시각 t에서의 점 P의 속도를 $v(t)$, 가속도를 $a(t)$라고 하면 다음이 성립함을 알고 있다.

$$v(t)=\frac{dx}{dt}=f'(t),\quad a(t)=\frac{dv}{dt}=\frac{d^2x}{dt^2}=f''(t)$$

-『고등학교 미적분』

[문제 3] 수직선 위를 움직이는 두 점 P , Q의 시각 $t \geq 0$에서의 위치를 각각 x, y 라고 하면 $x=2\cos^2 t$, $y=\dfrac{5}{4}c-c\sin t\,(c>0)$이다. 두 점 P , Q는 1회 이상 만나고, 만날 때마다 두 점의 속도가 일치한다고 하자. 양수 c값을 정하고 두 점 P 와 Q 사이 거리가 시각 $t=0$ 이후 처음으로 최대가 되는 시각 t와 이때 점 Q의 속도 및 가속도를 각각 구하여라.

<27줄 이내> [40점]

5. 2022학년도 동국대 수시 논술

※ 다음 제시문을 읽고 물음에 답하시오.

【가】 미분 가능한 함수 $y = f(x)$ 도함수는

$$f'(x) = \lim_{\Delta x \to 0} \frac{f(x + \Delta x) - f(x)}{\Delta x}$$

–『고등학교 수학 II』

【나】 임의의 두 실수 a, b를 포함하는 구간에서 연속인 함수 $f(x)$에 대하여 $\int f(x)dx = F(x) + C$ (C 는 적분상수)일 때

$$\int_a^b f(x)dx = [F(x)]_a^b = F(b) - F(a)$$

–『고등학교 수학 II』

【다】 $y = f(x)$의 도함수 $f'(x)$가 미분 가능할 때 함수 $f'(x)$의 도함수

$$\lim_{h \to \infty} \frac{f'(x + h) - f'(x)}{h}$$

를 함수 $y = f(x)$의 이계도함수라 하고, 이것을 기호로

$$f''(x), \ y'', \ \frac{d^2 y}{dx^2}, \ \frac{d^2}{dx^2}f(x)$$

와 같이 나타낸다.

–『고등학교 미적분』

[문제 1] 실수 전체에서 도함수와 이계도함수가 존재하는 함수 f가 모든 실수 x, y에 대하여

$$f(x+y) - f(x-y) = 2f(y)f'(x), \ f(0) = 0, \ f(1) = a \, (a > 0)$$

를 만족한다고 하자. 이 때, $f'(0)$, $f''(0)$, $\int_0^2 f(x)dx$를 각각 구하시오.

※ 다음 제시문을 읽고 물음에 답하시오.

【가】 함수 $y = f(x)$의 $x = t$에서의 미분계수 $f'(t)$는 곡선 위의 점 $(t, f(t))$에서의 접선의 기울기와 같다.

-『고등학교 수학II』

【나】 수직선 위를 움직이는 점 P의 시각 t에서의 위치 x가 $x = f(t)$일 때 시각 t에서 점 P의 속도 v는

$$v = \frac{dx}{dt} = f'(t)$$

-『고등학교 수학II』/『고등학교 미적분』

【다】 수직선 위를 움직이는 점 P의 운동 방향은 점 P의 속도 v가 $v > 0$일 때에는 양의 방향이고, $v < 0$일 때에는 음의 방향이다.

-『고등학교 수학II』

【라】 점 (x_1, y_1)을 지나고 기울기가 m인 직선의 방정식은

$$y - y_1 = m(x - x_1)$$

-『고등학교 수학』

[문제 2] 수직선 위를 움직이는 두 점 P, Q가 있다.

■ 시각 $t = 0$에서 P의 위치는 1이고 Q의 위치는 -1이다.

■ 시각 $t = 0$부터 두 점 P, Q가 처음으로 만날 때까지 P는 일정한 속도 $-\frac{1}{9}$로, Q는 일정한 속도 $a(a > 0)$로 움직인다.

시각 $t(0 < t \leq 9)$에서 두 점 P, Q의 속도는 다음의 두 경우에만 바뀐다.

■ 두 점 P, Q가 만나면 만남 직후 두 점의 속도는 서로 바뀐다.

■ 두 점 P, Q 중 어떤 점의 위치가 -1 또는 1이 된 직후 그 점의 속도는 부호만 바뀐다.

이와 같은 조건 하에 시각 $t = 9$에서 두 점 P, Q가 다섯 번째 만나도록 a값을 구하는 과정을 서술하고, 두 점 P, Q가 네 번째 만나는 시각 t를 구하시오. 그리고 이 네 번째 만남 직후 점 P의 속도를 구하시오.

※ 다음 제시문을 읽고 물음에 답하시오.

【가】 수직선 위를 움직이는 점 P의 시각 t에서의 위치 x가 $x = f(x)$일 때, 점 P의 시각 t에서의 속도 $v(t)$는

$$v(t) = \frac{dx}{dt} = f'(t)$$

-『고등학교 수학II』

【나】 수직선 위를 움직이는 점 P의 시각 t에서 속도가 $v(t)$라고 할 때 시각 $t = a$에서 $t = b$까지 점 P의 위치의 변화량은

$$\int_a^b v(t)dt$$

-『고등학교 수학II』

【다】 닫힌구간 $[a, b]$의 임의의 점 x에서 x축에 수직인 평면으로 자른 단면의 넓이가 $S(x)$인 입체도형의 부피 V는

$$V = \int_a^b S(x)dx$$

이다. 단, $S(x)$는 닫힌구간 $[a, b]$에서 연속인 함수이다.

-『고등학교 미적분』

【라】 함수 $f(x)$가 임의의 세 실수 a, b, c를 포함하는 닫힌구간에서 연속일 때

$$\int_a^c f(x)dx + \int_c^b f(x)dx = \int_a^b f(x)dx$$

-『고등학교 수학II』

【마】 함수 $f(t)$가 닫힌구간 $[a, b]$에서 연속일 때

$$\frac{d}{dx}\int_a^x f(t)dt = f(x)$$

이다. 단, $a < x < b$이다.

-『고등학교 수학II』

【바】 두 함수 $f = f(u)$, $u = g(x)$가 미분 가능할 때 합성함수 $y = f(g(x))$의 도함수는

$$\frac{dy}{dx} = \frac{dy}{du} \times \frac{du}{dx}, y' = f'(g(x))g'(x)$$

-『고등학교 미적분』

[문제 3] 밑면의 넓이가 $A(m^2)$인 원기둥 모양의 물통에 일정량의 물이 채워져 있다. 그리고 이 물통에 속이 꽉 들어찬 입체도형이 아래 그림과 같이 $v(m/s)$의 일정한 속력으로 하강하고 있다.

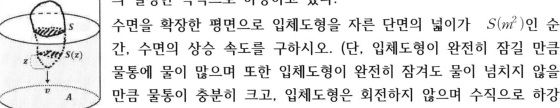

수면을 확장한 평면으로 입체도형을 자른 단면의 넓이가 $S(m^2)$인 순간, 수면의 상승 속도를 구하시오. (단, 입체도형이 완전히 잠길 만큼 물통에 물이 많으며 또한 입체도형이 완전히 잠겨도 물이 넘치지 않을 만큼 물통이 충분히 크고, 입체도형은 회전하지 않으며 수직으로 하강

한다. 그리고 입체도형의 최하단에서 거리가 $z(m)$인 수면에 평행한 평면으로 자른 입체도형의 단면의 넓이 $S(z)(m^2)$는 z에 대해 연속이다.)

6. 2022학년도 동국대 모의 논술

※ 다음 제시문을 읽고 물음에 답하시오.

[가] 평면 위의 한 점 F 와 이 점을 지나지 않는 한 직선 l이 주어질 때, 점 F 와 직선 l에 이르는 거리가 각각 같은 점들의 집합을 포물선이라 하고, 점 F 를 포물선의 초점, 직선 l을 포물선의 준선이라고 한다.

- 고등학교 『기하』

[나] 초점이 점 $F(p,0)$이고 준선의 방정식이 $x=-p$인 포물선의 방정식은
$$y^2 = 4px \ (단, \ p \neq 0 \ )$$

- 고등학교 『기하』

[다] 포물선 $y^2 = 4px$ 위의 점 (x_1, y_1)에서의 접선의 방정식은
$$y_1 y = 2p(x + x_1)$$

- 고등학교 『기하』

[라] 두 실수 $a>0$, $b>0$에 대하여 $\dfrac{a+b}{2} \geq \sqrt{ab}$ 이다. 여기서 등호는 $a=b$일 때 성립한다.

- 고등학교 『수학』

[문제 1] 상수 $p \neq 0$에 대하여 초점이 점 $F(p,0)$이고 준선의 방정식이 $x=-p$인 포물선이 주어졌다. 포물선 위의 점 P에서 포물선의 준선에 내린 수선의 발을 H라고 하고 점 P에서의 포물선의 접선과 포물선의 준선의 교점을 Q라고 하자.

1) 점 H와 점 Q사이의 거리와 초점 F와 점 Q사이의 거리를 구하시오.

2) 점 H와 점 Q사이의 거리의 최솟값을 구하고 최솟값을 가질 때의 점 P의 좌표를 구하시오.

<15줄 이내> [30점]

※ 다음 제시문을 읽고 물음에 답하시오.

[가] 사건 A, B 중 어느 한 사건이 일어나면 다른 사건은 일어나지 않을 때, 즉 $A \cap B = \phi$일 때, A와 B는 서로 배반이라고 하고 이 두 사건을 서로 배반사건이라고 한다.

표본 공간 S의 사건 A, B에 대하여

 1) $P(A \cup B) = P(A) + P(B) - P(A \cap B)$

 2) A, B 가 서로 배반 사건이면
$$P(A \cup B) = P(A) + P(B)$$

-『고등학교 확률과 통계』

[나] 일반적으로 확률이 0이 아닌 사건 A가 일어났다고 가정할 때 사건 B가 일어날 확률을 사건 A가 일어났을 때 사건 B의 조건부확률이라 하고, 이것을 기호로
$$P(B \,|\, A)$$
와 같이 나타낸다. 사건 A가 일어났을 때 사건 B의 조건부확률은
$$P(B \,|\, A) = \frac{P(A \cap B)}{P(A)} \ (\text{단}, \ P(A) \neq 0)$$
이다.

-『고등학교 확률과 통계』

[다] 사건 A가 일어났을 때의 사건 B의 조건부 확률은
$$P(B \,|\, A) = \frac{P(A \cap B)}{P(A)} \quad (P(A) > 0)$$
이고, 이 식의 양변에 $P(A)$를 곱하면
$$P(A \cap B) = P(A) P(B \,|\, A)$$
이다. 같은 방법으로
$$P(A \cap B) = P(B) P(A \,|\, B) \quad (P(B) > 0)$$
이다.

-『고등학교 확률과 통계』

[문제2] 어느 지역에서 어떤 병에 걸린 사람의 비율은 1%라고 가정하자. 이 병을 진단하는 키트 C, D 두 가지가 새로이 개발되었다. 두 키트로 이 병을 진단할 때, 진단확률은 아래와 같다.

	C 키트	D 키트
병에 걸린 사람을 병에 걸렸다고 정확하게 진단할 확률	98%	99%
병에 걸리지 않은 사람을 병에 걸렸다고 잘못 진단할 확률	1%	2%

이 지역에서 임의로 한 명을 선택하여 검사를 한 결과 병에 걸렸다고 진단하였을 때, 그 사람이 실제로 병에 걸렸을 확률은 C, D 두 키트 중 어느 키트가 높은지 제시문을 이용하여 설명하시오.　　　　　　　　　　　　　　　<15줄 이내> [30점]

※ 다음 제시문을 읽고 물음에 답하시오.

【가】 x의 함수 y가 음함수의 꼴 $f(x,y)=0$로 주어질 때, $f(x,y)=0$의 양변을 x에 대하여 미분하여 $\dfrac{dy}{dx}$를 구한다.

－『고등학교 미적분』

【나】 미분가능한 함수 $f(x)$의 역함수 $f^{-1}(x)$가 존재하고 미분가능할 때, 역함수 $y=f^{-1}(x)$의 도함수는

$$(f^{-1})'(x)=\frac{1}{f'(f^{-1}(x))}$$

이다.

－『고등학교 미적분』

[문제3] 제시문을 바탕으로 아래 두 문제의 답과 풀이과정을 서술하시오.

1) 양수 t에 대하여 직선 $y=t$와 곡선 $y=3x+\sin x$이 만나는 점의 x좌표를 $h(t)$라고 하자. $h'(t)$가 $t=a$에서 최솟값을 가질 때, 양수 a의 최솟값을 구하시오.

[15점]

2) $0\le t\le 6\pi$인 실수 t에 대하여 함수 $f(t)$를

$$f(t)=\int_0^{2\pi}|3x+\sin x-t|dx$$라고 하자. 함수 $f(t)$가 $t=a$에서 최솟값을 가질 때, a의 값을 구하시오.

(단, $0\le a\le 6\pi$이다.)

[25점]

<27줄 이내>

7. 2021학년도 동국대 수시 논술

※ 다음 제시문을 읽고 물음에 답하시오.

[가] 어떤 비트코인이 초기가격 A_0에서 매년 일정하게 $a\%$ 비율로 올라가면 n년 후의 비트코인 가격 A_n은

$$A_n = A_0\left(1 + \frac{a}{100}\right)^n, \qquad (단, A_0 > 0)$$

로 표현할 수 있다고 가정하자.

- 『고등학교 수학 I』

[나] $a > 0,\ a \neq 1,\ x_1 > 0,\ x_2 > 0$일 때

    1) $\log_a x_1 = b \iff x_1 = a^b$

    2) $\log_a x_1 = \log_a x_2 \iff x_1 = x_2$

- 『고등학교 수학 I』

[다] $a > 0,\ a \neq 1$이고 $M > 0,\ N > 0$일 때

    1) $\log_a MN = \log_a M + \log_a N$

    2) $\log_a \dfrac{M}{N} = \log_a M - \log_a N$

    3) $\log_a M^k = k\log_a M$ (k는 실수)

- 『고등학교 수학 I』

[라] 10을 밑으로 하는 로그를 상용로그라 하며, 양수 N의 상용로그 $\log_{10} N$은 보통 밑 10을 생략하여 $\log N$으로 나타낸다.

- 『고등학교 수학 I』

[문제1] 어떤 비트코인이 초기 가격 A_0에서 매년 일정한 비율로 올라가 5년 후 초기 가격의 2배가 되었다고 가정했을 때, 그 비트코인 가격은 매년 몇 %씩 올라갔는지 논술하시오

(단, $\log 2 = 0.3$, $\log 1.15 = 0.06$으로 계산하시오).

※ 다음 제시문을 읽고 물음에 답하시오.

[가] 일반적으로 한 번의 시행에서 어떤 사건 A가 일어날 확률이 p로 일정할 때, n번의 독립시행에서 사건 A가 일어나는 횟수를 확률변수 X로 하면 X가 가질 수 있는 값은 $0, 1, 2, \cdots, n$ 이고, X의 확률질량함수는

$$P(X=x) = {}_n C_x\, p^x (1-p)^{n-x}, \quad (x = 0, 1, 2, \cdots, n)$$

이다. 이와 같은 확률변수 X의 확률분포를 이항분포라고 하며, 이것을 기호로 $B(n, p)$와 같이 나타낸다. 확률변수 X가 이항분포 $B(n, p)$를 따를 때 X의 평균, 분산, 표준편차는 각각

$$E(X) = np, \ V(X) = np(1-p), \ \sigma(X) = \sqrt{np(1-p)}$$

로 알려져 있다.

-『고등학교 확률과 통계』

[나] 일반적으로 실수 전체의 집합에서 정의된 연속확률변수 X의 확률밀도함수 $f(x)$가 두 상수 $m, \sigma(\sigma > 0)$에 대하여

$$f(x) = \frac{1}{\sqrt{2\pi}\,\sigma} e^{-\frac{(x-m)^2}{2\sigma^2}}$$

일 때, X의 확률분포를 정규분포라고 한다. 이때 확률변수 X의 평균은 m, 표준편차는 σ임이 알려져 있다. 평균과 표준편차가 각각 m과 σ인 정규분포를 기호로 $N(m, \sigma^2)$과 같이 나타내고, 확률변수 X는 정규분포 $N(m, \sigma^2)$을 따른다고 한다.

-『고등학교 확률과 통계』

[다] 확률변수 X가 정규분포 $N(m, \sigma^2)$을 따를 때, 확률변수

$$Z = \frac{X-m}{\sigma}$$

은 표준정규분포 $N(0, 1)$을 따른다.

-『고등학교 확률과 통계』

[라] 확률변수 X가 이항분포 $B(n, p)$를 따를 때, n이 충분히 크면 X는 근사적으로 정규분포 $N(np, np(1-p))$를 따른다. n이 충분히 크다는 것은 일반적으로 $np \geq 5$, $n(1-p) \geq 5$일 때를 뜻한다.

-『고등학교 확률과 통계』

[마] 확률변수 Z가 표준정규분포를 따를 때 $P(0 \leq Z \leq z)$의 값을 소숫점 이하 세 자리에서 반올림한 값은 다음과 같다.

z	$P(0 \le Z \le z)$
0.52	0.20
0.84	0.30
1.28	0.40
2.00	0.48

-『고등학교 확률과 통계』

[문제 2] 상품K는 무게에 따라 다음과 같이 구분된다.

구분	A등급	B등급	C등급
무게	68g 이상	50g 이상-68g 미만	50g 미만

어느 공장에서 생산되는 상품K 한 개의 무게는 평균이 55.2g이고 표준편차가 10g인 정규분포를 따른다고 한다(단, 단위는 생략할 수 있다).

1) 이 공장에서 생산되는 상품K 중에서 임의의 한 개를 선택할 때, 이 상품K가 A등급일 확률을 구하시오.

2) 1)을 이용하여 이 공장에서 생산되는 400개 상품K 중에서 A등급으로 구분되는 상품K 수의 평균과 표준편차를 구하시오.

3) 제시문 [라]와 2)를 이용하여 이 공장에서 생산되는 400개 상품K 중에서 A등급이 52개 이상일 확률을 구하시오.

※ 다음 제시문을 읽고 물음에 답하시오.

[가] 함수 $f(x)$가 닫힌구간 $[a, b]$에서 연속일 때, 곡선 $y=f(x)$와 x축 및 두 직선 $x=a$, $x=b$로 둘러싸인 도형의 넓이 S는 $S=\int_a^b |f(x)|\,dx$ 이다.

-『고등학교 수학Ⅱ』

[나] 닫힌구간 $[a, b]$에서 연속인 함수 $f(x)$에 대하여 미분가능한 함수 $x=g(t)$의 도함수 $g'(t)$가 $a=g(\alpha)$, $b=g(\beta)$일 때 α, β를 포함하는 구간에서 연속이면

$$\int_a^b f(x)dx = \int_\alpha^\beta f(g(t))g'(t)dt$$

이다.

-『고등학교 미적분』

[다] 함수 $y=x^r$ (r은 실수)의 부정적분은

1) $r \neq -1$ 일 때, $\displaystyle\int x^r dx = \frac{1}{r+1}x^{r+1}+C$

2) $r = -1$ 일 때, $\displaystyle\int x^{-1} dx = \ln|x|+C$

-『고등학교 미적분』

[라] 함수 $f(x)$가 닫힌구간 $[a, b]$에서 연속일 때, $f(x)$의 한 부정적분 $F(x)$에 대하여 $f(x)$의 a에서 b까지의 정적분을

$$\int_a^b f(x)dx = \left[F(x)\right]_a^b = F(b)-F(a)$$

라고 한다.

-『고등학교 수학Ⅱ』

[마] 닫힌구간 $[a, b]$의 임의의 점 x에서 x축에 수직인 평면으로 자른 단면의 넓이가 $S(x)$인 입체도형의 부피 V는 $V=\int_a^b S(x)dx$ 이다(단, $S(x)$는 닫힌구간 $[a, b]$에서 연속).

-『고등학교 미적분』

[문제 3] 함수 $y=f(x)$가 정의역 $\{x \mid x \geq 3\}$에서 $f(x) \geq 0$이며 연속이고, 함수 $y=f(x)$의 그래프 위 임의의 점 $(t, f(t))$가

$$\int_3^t (s-3)^2\,ds + \int_0^{f(t)}(\sqrt{s}+3)ds = t\,f(t)$$

를 만족한다고 할 때, 함수 $y=f(x)$를 구하시오. 함수 $y=f(x)$의 그래프와 x축 및 $x=4$로 둘러싸인 도형 R의 넓이를 구하시오. R을 밑면으로 하는 입체 도형을 x축에 수직인 평면으로 자른 단면이 정사각형일 때, 이 입체도형의 부피를 구하시오.

8. 2021학년도 동국대 모의 논술

※ 다음 제시문을 읽고 물음에 답하시오.

【가】좌표평면 위의 두 점 $A(x_1, y_1)$, $B(x_2, y_2)$ 사이의 거리는

$$\overline{AB} = \sqrt{(x_2 - x_1)^2 + (y_2 - y_1)^2}$$

-『고등학교 수학』

【나】수직선 위를 움직이는 점 P의 시각 t에서의 위치 x가 $x = f(t)$일 때 시각 t에서 점 P의 속도는 $v = \lim\limits_{\Delta t \to 0} \dfrac{\Delta x}{\Delta t} = \dfrac{dx}{dt}$ 이다. 속도의 절댓값 $|v|$를 시각 t에서 점 P의 속력이라고 한다.

-『고등학교 수학 II』

【다】함수 $x = f(t)$, $y = g(t)$가 t에 대하여 미분가능하고 $f'(t) \neq 0$이면

$$\frac{dy}{dx} = \frac{\dfrac{dy}{dt}}{\dfrac{dx}{dt}} = \frac{g'(t)}{f'(t)}$$

-『고등학교 미적분』

【라】음함수 표현 $f(x, y) = 0$에서 y를 x의 함수로 보고 양변을 x에 대하여 미분하여 $\dfrac{dy}{dx}$를 구한다.

-『고등학교 미적분』

[문제 1] 축 x위의 점 $P(x, 0)$과 축 y위의 점 $Q(0, y)$ 사이의 거리가 5로 일정하게 고정되어 $x, y > 0$인 영역에서 0이 아닌 속력으로 움직인다고 하자. 점 P의 속력이 점 Q의 속력의 절반이 될 때의 점 P와 점 Q의 좌표를 구하고 풀이 과정을 서술하시오.

[30점]

※ 다음 제시문을 읽고 물음에 답하시오.

【가】 함수 $f : X \to Y$에서 정의역 X의 임의의 두 원소 x_1, x_2에 대하여

$$x_1 \neq x_2 이면 f(x_1) \neq f(x_2)$$

일 때, 함수 f를 일대일 함수라고 한다.

-『고등학교 수학』

【나】 함수 $f(x)$가 어떤 구간에서 미분 가능하고, 이 구간의 모든 x에 대하여

(i) $f'(x) > 0$이면 $f(x)$는 이 구간에서 증가한다.

(ii) $f'(x) < 0$이면 $f(x)$는 이 구간에서 감소한다.

-『고등학교 수학 II』

【다】 함수 $f(x)$가 닫힌구간 $[a, b]$에서 연속이고 $f(a) \neq f(b)$이면 $f(a)$와 $f(b)$사이의 임의의 실수 k에 대하여 $f(c) = k$인 c가 열린 구간 (a, b)에 적어도 하나 존재한다.

-『고등학교 수학 II』

【라】 표본 공간이 S인 어떤 시행에서 각 근원사건이 일어날 가능성이 모두 같은 정도로 기대될 때, 사건 A가 일어날 확률 $P(A)$를

$$P(A) = \frac{n(A)}{n(S)}$$

로 정의하고, 이것을 표본공간 S에서 사건 A가 일어날 수학적 확률이라고 한다.

-『고등학교 확률과통계』

[문제 2] 주사위를 3번 던져서 나온 숫자를 순서대로 a, b, c라고 할 때, 삼차 함수 $f(x) = x^3 + ax^2 + bx + c$가 일대일 함수일 확률을 구하고 풀이 과정을 서술하시오.

[30점]

※ 다음 제시문을 읽고 물음에 답하시오.

【가】 미분가능한 두 함수 $h = f(u)$, $u = g(x)$에 대하여 합성함수 $y = f(g(x))$의 도함수는 $y' = f'(g(x))g'(x)$이다.

-『고등학교 미적분』

【나】 닫힌구간 $[a,b]$에서 연속인 함수 $f(x)$에 대하여 미분가능한 함수 $x = g(t)$의 도함수 $g'(t)$가 $a = g(\alpha)$, $b = g(\beta)$일 때 α, β를 포함하는 구간에서 연속이면

$$\int_a^b f(x)dx = \int_\alpha^\beta f(g(t))g'(t)dt$$

이다.

-『고등학교 미적분』

[문제 3] 함수 $f(x)$의 이계도함수 $f''(x)$가 실수 전체의 집합에서 존재하고, 모든 실수 x에 대하여 $f'(2x + \sin x) = 6x + 4\sin x$가 성립한다. $f(0) = 0$일 때, 다음 물음에 답하시오.

1) $f(4\pi)$의 값과 $\int_0^\pi f(2x + \sin x)dx$의 값을 구하고 풀이과정을 서술하시오.

[20점]

2) $f''(\pi + 1)$의 값, 이계도함수 $f''(x)$의 최솟값 m과 최댓값 M을 구하고 풀이과정을 서술하시오.

[20점]

9. 2020학년도 동국대 수시 기출

※ 다음 제시문을 읽고 물음에 답하시오.

【가】 삼각형 ABC 에서 각 ∠BAC를 θ라고 할 때, 삼각형의 넓이 S는

$$S = \frac{1}{2}\overline{AB}\,\overline{AC}\sin\theta$$

이다.

－『고등학교 기하와 벡터』

【나】 두 벡터 $\vec{a}, \vec{b}$가 이루는 각의 크기가 θ일 때, 두 벡터의 내적은

$$\vec{a} \cdot \vec{b} = |\vec{a}||\vec{b}|\cos\theta$$

이다.

－『고등학교 기하와 벡터』

【다】 사인함수와 코사인함수는

$$\sin^2\theta + \cos^2\theta = 1$$

을 만족한다.

－『고등학교 미적분 II』

【라】 좌표평면 위의 점 $A(a_1, a_2)$를 시점으로 하고 점 $B(b_1, b_2)$를 종점으로 하는 벡터 $\overrightarrow{AB}$를 성분으로 나타내어 보자. 두 점 A, B의 위치벡터를 각각 $\vec{a}, \vec{b}$라고 하면

$$\overrightarrow{AB} = \vec{b} - \vec{a} = (b_1, b_2) - (a_1, a_2) = (b_1 - a_1, b_2 - a_2)$$

이다.

－『고등학교 기하와 벡터』

【마】 두 평면 벡터가 $\vec{a} = (a_1, a_2), \vec{b} = (b_1, b_2)$일 때, 두 벡터의 내적은

$$\vec{a} \cdot \vec{b} = a_1 b_1 + a_2 b_2$$

이다.

－『고등학교 기하와 벡터』

[문제 1] 좌표평면 위의 세 점 $A(x_1, y_1)$, $B(x_2, y_2)$, $C(x_3, y_3)$으로 만들어진 삼각형 ABC 의 넓이를 제시문 [가]~[마]를 이용하여 $x_1, x_2, x_3, y_1, y_2, y_3$로 나타내시오. 그리고 이 공식을 이용하여 $A(1,1)$, $B(2,2)$, $C\left(\frac{1}{2}, \frac{5}{2}\right)$일 때, 삼각형 ABC 의 넓이를 구하시오. (30점)

※ 다음 제시문을 읽고 물음에 답하시오.

【가】함수 $y = f(t)$가 닫힌 구간 $[a, b]$에서 연속이고, $f(t) \geq 0$이라 하자.
닫힌 구간 $[a, b]$에 속하는 x에 대하여 a에서 x까지 곡선 $y = f(t)$와 축 t사이의 넓이를 $S(x)$라 하면,

$$S(x) = \int_a^x f(t)dt$$

이다.

-『고등학교 미적분 I』

【나】x의 증분 Δx는 0에 가깝게 이웃하는 두 x값의 차이를 의미한다. x의 증분 $\Delta x (\Delta x > 0)$에 대한 $S(x)$의 증분을 ΔS라 하면,
$$\Delta S = S(x + \Delta x) - S(x)$$
이다.

-『고등학교 미적분 I』

【다】닫힌 구간 $[x, x + \Delta x]$에서 함수 $f(t)$가 연속이면 이 구간에서 최댓값 M과 최솟값 m을 가진다.

-『고등학교 미적분 I』

[문제 2] 제시문을 이용하여, 함수 $f(x)$가 닫힌 구간 $[a, b]$에서 연속이면

$$\frac{d}{dx} \int_a^x f(t)dt = f(x) \quad (a < x < b)$$

이 됨을 설명하시오.

(30점)

※ 다음 제시문을 읽고 물음에 답하시오.

【가】 주사위나 동전을 던지는 것과 같이 같은 조건에서 여러 번 반복할 수 있고, 그 결과가 우연에 의하여 좌우되는 실험이나 관찰을 시행이라고 한다. 그리고 어떤 시행에서 일어날 수 있는 모든 경우의 집합을 표본공간이라 하고, 그 부분집합을 사건이라 한다.

-『고등학교 확률과 통계』

【나】 한 개의 주사위를 던지면 1, 2, 3, 4, 5, 6의 눈 중에서 하나가 나오고, 이 6개의 눈 중에서 어떤 눈이 나올 것인가는 우연에 의하여 정해진다. 정육면체 모양의 주사위에서는 각각의 눈이 나올 가능성이 같다고 기대할 수 있으므로, 각 눈이 나올 확률은 $\frac{1}{6}$이라고 할 수 있다.

-『고등학교 확률과 통계』

【다】 어떤 시행에서 일어날 수 있는 모든 경우의 집합 S의 부분집합인 두 사건 A, B에 대하여 A 또는 B가 일어나는 사건은 $A \cup B$로 나타내고, A와 B가 동시에 일어나는 사건은 $A \cap B$로 나타낸다. 특히 두 사건 A, B가 동시에 일어나지 않을 때, 즉 $A \cap B = \phi$이면 이 두 사건은 서로 배반이라고 하고 $A \cup B$의 확률은 $P(A \cup B) = P(A) + P(B)$이다. 또한, 두 사건 A B에 대하여 한 사건이 일어나거나 일어나지 않는 것이 다른 사건이 일어날 확률에 영향을 주지 않을 때, 두 사건은 서로 독립이라고 하고 $A \cap B$의 확률은 $P(A \cap B) = P(A)P(B)$이다.

-『고등학교 확률과 통계』

【라】 한 개의 동전이나 주사위를 여러 번 던질 때와 같이 매회 같은 조건에서 어떤 시행이 반복되면 각 회의 시행은 그 이전의 시행의 결과에 영향을 받지 않는다. 이와 같은 시행을 독립시행이라고 한다.

-『고등학교 확률과 통계』

[문제 3] 반지름이 각각 3cm, 4cm인 두 원반 A와 B가 그림과 같이 설치되어 있다. 원반 A와 원반 B는 서로 미끄러지지 않게 맞물려 있고 화살표 방향으로 원반 A를 회전하면 원반 B도 회전한다. 원반 B는 6등분되어 그림과 같이 회색과 흰색으로 색칠되어 있다.

주사위를 2번 던져서 나오는 눈의 합 횟수만큼 그림과 같이 정지 상태에서 원반 A를 반시계 방향으로 회전시킬 때, 원반 A의 화살표가 원반 B의 회색부분의 호에 맞닿을 확률을 $P(Q)$라고 하자. 제시문을 참고하여 시행, 표본공간 S, 사건 Q, 확률 $P(Q)$를 구하시오. (40점)

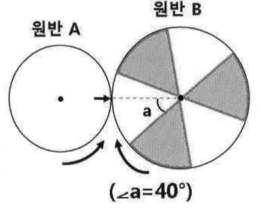

원반 A   원반 B

a

$(\angle a = 40°)$

10. 2020학년도 동국대 모의 논술

※ 다음 제시문을 읽고 물음에 답하시오.

【가】 원뿔 모양의 아이스크림 콘을 만드는 어느 공장에서 부피는 일정하지만 겉넓이를 가장 작게 하여 생산비를 줄이고자 한다.

-『고등학교 미적분 II』

【나】 반지름의 길이가 R, 중심각의 크기가 θ(라디안)인 부채꼴의 호의 길이를 l, 넓이를 S 라 하면

　(i) $l = R\theta$

　(ii) $S = \dfrac{1}{2}R^2\theta = \dfrac{1}{2}Rl$.

-『고등학교 미적분 II』

【다】 함수 $f(x)$가 어떤 열린 구간에서 미분가능할 때, 그 구간의 모든 x에 대해

　(i) $f'(x) > 0$ 이면 $f(x)$는 그 구간에서 증가한다.

　(ii) $f'(x) < 0$ 이면 $f(x)$는 그 구간에서 감소한다.

-『고등학교 미적분 I』

[문제 1] 제시문【가】의 공장에서 생산하는 아이스크림 콘의 부피가 $9\sqrt{2}\,\pi^4$ 로 일정할 때, 아이스크림 콘 옆면의 겉넓이를 최소로 하여 생산비를 최소로 하고자 한다. 생산비가 최소가 될 때 이 공장에서 생산하는 아이스크림 콘의 윗면의 반지름과 높이를 구하라.

<10 ~ 13줄> [30점]

※ 다음 제시문을 읽고 물음에 답하시오.

【가】 연속확률변수 X가 $a \leq X \leq b$인 범위 안의 임의의 값을 가질 수 있고, 이 범위에서 함수 $f(x)$가 다음 조건을 만족하면 $f(x)$를 X의 확률밀도함수라고 한다.

  (i) 모든 x에 대하여 $f(x) \geq 0$

  (ii) 곡선 $y = f(x)$와 x축, 직선 $x = a$, $x = b$로 둘러싸인 부분의 넓이가 1

  (iii) $P(\alpha \leq X \leq \beta)$ $(a \leq \alpha \leq \beta \leq b)$는 곡선 $y = f(x)$와 x축, 직선 $x = \alpha$, $x = \beta$로 둘러싸인 부분의 넓이

『고등학교 확률과 통계』

【나】 함수 $f : X \to Y$, $y = f(x)$가 일대일 대응일 때, 집합 Y의 임의의 원소 y에 $f(x) = y$인 집합 X의 원소 x를 대응시키면 집합 Y를 정의역, 집합 X를 공역으로 하는 새로운 함수를 얻는다. 이 함수를 함수 $f : X \to Y$의 역함수라고 하며, 이것을 기호로

$$f^{-1}$$

와 같이 나타낸다. 즉,

$$f^{-1} : Y \to X, \quad x = f^{-1}(y)$$

이다.

『고등학교 수학 Ⅱ』

【다】 함수 $f(x)$가 어떤 열린 구간에서 미분가능하고, 이 구간의 모든 x에 대하여

  (i) $f'(x) > 0$이면 $f(x)$는 이 구간에서 증가한다.

  (ii) $f'(x) < 0$이면 $f(x)$는 이 구간에서 감소한다.

『고등학교 미적분 Ⅰ』

[문제 2] 확률밀도함수 $f(x) = be^{-bx}$ $(x \geq 0, b > 0)$인 확률변수 X가 1보다 작을 확률은 $\dfrac{1}{3}$보다 크지 않고, 2보다 작을 확률은 $\dfrac{1}{2}$보다 작지 않을 때, 다음과 같이 정의된 k의 최솟값과 최댓값을 구하고 풀이과정을 서술하시오.

$$k = \int_1^b f^{-1}(x)dx$$

<10~13줄> [30점]

※ 다음 제시문을 읽고 물음에 답하시오.

【가】벡터 $\vec{a}=(a_1,a_2,a_3)$ 에 대하여

$$|\vec{a}|=\sqrt{a_1^2+b_1^2+c_1^2}$$

『고등학교 기하와 벡터』

【나】두 벡터 $\vec{a}=(a_1,a_2,a_3), \vec{b}=(b_1,b_2,b_3)$에 대하여

$$\vec{a}\cdot\vec{b}=a_1b_1+a_2b_2+a_3b_3$$

영벡터가 아닌 두 벡터 $\vec{a},\vec{b}$ 가 이루는 각의 크기가 $\theta\,(0\le\theta\le\pi)$일 때

$$\vec{a}\cdot\vec{b}=|\vec{a}||\vec{b}|\cos\theta$$

『고등학교 기하와 벡터』

【다】영벡터가 아닌 두 벡터 $\vec{a},\vec{b}$에 대하여

$$\vec{a}\perp\vec{b}=0\Leftrightarrow\vec{a}\cdot\vec{b}=0$$

『고등학교 기하와 벡터』

【라】평면 α와 한 점 O 에서 만나는 직선 l 이 평면 α 위의 점 O 에서 만나는 서로 다른 두 직선 a,b와 수직이면 직선 l과 평면 α는 수직이다.

『고등학교 기하와 벡터』

[문제3]

두 벡터 $\vec{a}=\left(\dfrac{1}{\sqrt{3}},\dfrac{1}{\sqrt{3}},\dfrac{1}{\sqrt{3}}\right),\vec{b}=(1,1,0)$ 에 대해 벡터 $\vec{a}$ 와 벡터 $\vec{b}$ 가 이루는 평면에 있으면서 벡터 $\vec{a}$ 와 수직이고 x-좌표가 양수인 단위 벡터 $\vec{c}$ 를 구하라. 그리고, 벡터 $\vec{a}$ 와 벡터 $\vec{c}$ 로 이루어진 평면에 수직이고 x-좌표가 양수인 단위 벡터 $\vec{d}$ 를 구하라. 임의의 벡터 $\vec{e}=(x,y,z)$를 벡터 $\vec{a}$, 벡터 $\vec{c}$, 벡터 $\vec{d}$로 나타내라.

<17~22줄> [40점]

11. 2019학년도 동국대 수시 기출

※ 다음 제시문을 읽고 물음에 답하시오.

【가】 확률을 설명할 때 빠지지 않고 등장하는 것이 주사위이다. 인류 역사에 언제 주사위가 처음 등장했는지는 확실하지 않지만 이집트에서는 이미 기원전 10세기 이전에 상아나 동물의 뼈로 된 주사위가 있었다고 전해진다. 우리나라 유물 중에도 다양한 주사위가 있다. 경주 안압지 연못 바닥에서 출토된 목제주령구는 6개의 정사각형 모양의 면과 8개의 육각형 면으로 이루어진 십사면체 모양이다. 십사면체 자체는 정다면체가 아니지만, 목제주령구를 던졌을 때, 각 면이 나올 확률은 거의 같다고 한다. 조선 시대 승경도 놀이에 사용된 윤목은 길이가 10~15cm인 오각기둥 모양으로 5개의 모서리에는 각각 1개부터 5개까지의 홈이 파여 있다. 윤목의 5개의 옆면이 바닥에 닿게 될 확률이 같으므로, 홈이 있는 5개의 모서리가 위를 향하게 될 확률도 같다.

-『고등학교 확률과 통계』

【나】 18세기 영국의 수학자 베이즈는 '베이즈 정리'라는 조건부확률 이론을 발표하였다. 이 이론의 핵심은 확률 값이 항상 고정불변한 것이 아니라 기존의 통계 자료를 이용하면 바뀐다는 것이다.

 예를 들어 어느 환자가 갑상선암을 진단하는 초음파 검사에서 양성 반응이 나오면 실제로 자신이 암에 걸렸을 확률이 초음파 검사 장비의 정확도인 0.95라고 생각하는 경향이 있다. 그러나 기존의 통계 자료에 의하면 우리나라 국민의 갑상선암 발생률이 0.01 정도밖에 안 되고 암에 걸리지 않았음에도 양성으로 잘못 판정할 확률이 0.01이라고 하면 비록 검사에서 양성 반응이 나왔다고 해도 실제로 암에 걸렸을 확률은 0.49에 불과하다.

 베이즈 정리의 장점은 기존의 통계 자료가 많을수록 확률 값이 정확해지고, 자료가 바뀌면 확률 값도 자동적으로 수정된다는 '자가 수정' 이론에 있다. 이 이론은 인터넷 검색 엔진에서 중요한 수학적 기반을 제공한다.

-『고등학교 확률과 통계』

【다】 사건 A의 확률 $P(A)$를 알고 있을 때, 그 여사건 A^c의 확률을 구할 수 있다. $A \cap A^c = \phi$이므로 두 사건 A와 A^c는 서로 배반사건이다. 따라서 확률의 덧셈정리에 의하여 다음이 성립한다.

$$P(A^c) = P(A \cup A^c) - P(A)$$

-『고등학교 확률과 통계』

【라】 사건 A가 일어났을 때의 사건 B의 조건부확률은

$$P(B|A) = \frac{P(A \cap B)}{P(A)} \quad (단, \ P(A) > 0)$$

-『고등학교 확률과 통계』

〈실험〉

각 면에 1에서 14까지 적힌 목제주령구와 1에서 5까지 적힌 윤목 중에 하나를 임의로 선택하여 던지는 실험을 했다. 첫째 날은 100명이 실험에 참여했고, 이 중에서 30명이 윤목을, 70명이 목제주령구를 선택했다. 둘째 날은 10명이 동일한 실험에 참여했으며, 이 때는 윤목을 선택한 인원이 목제주령구보다 많았다.

[문제 1] 실험 참여자 중에서 임의로 뽑은 한 명의 주사위 값이 2가 나왔을 때, 이 참여자가 윤목을 선택하였을 확률을 관찰하고자 한다. 첫째 날 100명과 이틀 동안 누적된 110명의 실험결과에서의 확률변화를 제시문을 바탕으로 설명하시오.

<10 ~ 13줄> [30점]

※ 다음 제시문을 읽고 물음에 답하시오.

【가】 약 1만 년 전 농경이 시작되었을 때, 지구 상의 인구는 약 530만 명 정도였다. 이것은 현재 서울 인구의 절반 정도에 해당한다. 서기 1년 세계의 인구는 약 2억 5000만 ~ 3억 명이었는데 이는 오늘날 미국의 인구와 비슷하다.

19세기 초반 처음으로 10억 명을 넘어선 후 산업혁명을 전후하여 세계의 인구는 뜀박질하듯 증가하기 시작했다. 1960년에는 30억 명에 이르렀으며 2011년에는 세계의 인구가 70억 명을 넘어섰다. 하지만 오늘날 세계의 연평균 인구 증가율이 점차 낮아지고 있다.

『고등학교 미적분 II』

【나】 "인구는 기하급수적으로 증가하고 식량은 산술급수적으로 증가한다."라는 문구로 유명한 영국의 경제학자 맬서스(Malthus, T. R.:1766-1834)는 수학을 이용하여 인구 증가를 체계적으로 다루었다.

그의 주장을 단순화하면 인간은 가급적 자손을 많이 남기려는 경향이 있으므로 인구가 증가하는 비율은 현재의 인구에 비례한다는 것이다. 시각 t에서의 인구를 $P(t)$라고 하면 이 주장은 다음과 같이 나타낼 수 있다.

$$P'(t) = kP(t)$$

이 식을 만족하는 $P(t)$를 구하면

$$P(t) = P(0)e^{kt} \quad \cdots\cdots\cdots\cdots \quad (1)$$

이 되어 인구 $P(t)$는 대체로 기하급수적으로 증가함을 나타낸다. 이러한 인구 모형을 맬서스의 인구 성장 모델 또는 지수 성장 모델이라고 한다.

그러나 실제로는 인구가 늘면 식량, 주거 공간 등 여러 자원이 부족해져 인구 증가율이 감소하게 되므로 지수 성장 모델은 현실과 일치하지 않는다. 벨기에의 수학자 베르휠스트(Verhulst, P. F.:1804~1849)는 인구가 늘면 인구 증가율이 감소한다는 사실을 반영하여 인구 $L(t)$가

$$L'(t) = kL(t)(N - L(t)) \quad \cdots\cdots\cdots\cdots \quad (2)$$

을 만족하는 모델을 만들었다. (……) 이와 같은 모델을 로지스틱 모델이라고 하며, 인구 성장 외에도 여러 분야에서 등장하고 있다.

『고등학교 미적분 II』

【다】 다음은 $\dfrac{K}{x(K-x)} = \dfrac{1}{x} + \dfrac{1}{K-x}$ 을 이용하여 유리함수의 부정적분을 구하는 과정이다.

$$\int \frac{1}{x\left(1 - \dfrac{x}{K}\right)} dx = \int \left(\frac{1}{x} + \frac{1}{K-x}\right) dx$$

$$= \ln|x| - \ln|K - x| + C = \ln\left|\frac{x}{K-x}\right| + C.$$

『고등학교 미적분 II』

【라】미분가능한 함수 $g(t)$에 대하여 $x = g(t)$로 놓으면

$$\int f(x)dx = \int f(g(t))g'(t)dt.$$

『고등학교 미적분 II』

[문제 2]

1) $L(0) = 1,\ k > 0,\ N > 1$일 때, 로지스틱 모델 (2)를 만족시키는 $L(t)$는 $0 < L(t) < N$ 임이 알려져 있다. (2)를 $\dfrac{L'(t)}{L(t)(N-L(t))} = k$ 와 같이 변형하고【다】와【라】를 이용해 양변을 부정적분하여, $L(t)$를 풀이과정과 함께 구하시오.

<8 ~ 11줄> [20점]

2) 증가/감소와 점근선에 유의하여 $P(t)$와 $L(t)$의 개형을 그리고 이것을 이용하여【가】에서 세계 인구 증가율의 감소를 잘 설명하는 것이【나】의 두 모델 중 어느 것인지 선택하고 그 이유와 함께 설명하시오.

<8 ~ 11줄> [20점]

12. 2019학년도 동국대 모의 논술

※ 다음을 읽고 물음에 답하시오.

[가] 에피사이클로이드 (epicycloid)

사이클로이드(cycloid)란 직선을 따라 원이 굴러서 회전할 때 원주상의 한 점이 그리는 곡선이다. 이때 원이 직선이 아니라 다른 원 위를 굴러서 회전하면 사이클로이드와는 다른 모습의 곡선이 나타난다. 원 B가 고정된 원 A의 바깥쪽을 굴러서 회전할 때, 원 B위의 한 점이 그리는 곡선을 에피사이클로이드라고 한다.

 고정된 원 A의 반지름의 길이 R와 둘레를 굴러 가는 원 B의 반지름의 길이 r 사이의 관계에 따라 곡선의 형태가 달라진다.

『기하와 벡터』

[나] 다음 그림은 각각 R=r와 R=3r 일 때의 에피사이클로이드 곡선의 모양을 나타낸다.

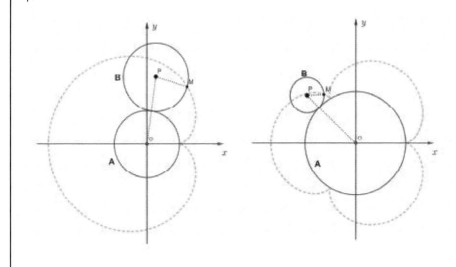

[문제 1] 점 M은 원 B 위의 점이다. 맨 처음 B의 중점 P는 양의 x축 위에 있고 M은 원 A와의 교점이었다. 원 B가 반시계 방향으로 원 A위를 구르면서 제시문 [나]의 그림처럼 이동한다. 선분 $\overline{OP}$가 양의 x축과 이루는 각을 θ라고 할 때, M의 좌표를 (x(θ), y(θ))라고 가정하고 다음 물음에 답하시오.

1) R=r=1 라고 가정하면 , x(θ)=2cos(θ) - 2cos(2θ), y(θ)=2sin(θ) - sin(2θ)이다. 점 $\left(0, \dfrac{3^{1/4}(1+\sqrt{3})}{\sqrt{2}}\right)$ 에서 이 곡선의 접선의 기울기를 m이라고 할 때, $3^{1/4}\sqrt{2}\,m$의 값을 구하시오.

2) R=3r 이라고 가정하자. M의 좌표 (x(θ), y(θ)) 를 구하고 이것을 이용하여, 에피사이클로이드 곡선의 길이 L을 구하시오. (단, θ의 범위는 0≤ θ ≤ 2π 이다.)

※ 다음을 읽고 물음에 답하시오.

[가] 사잇값 정리

함수 $f(x)$가 닫힌 구간 $[a,b]$에서 연속이고 $f(a) \neq f(b)$일 때, $f(a)$와 $f(b)$사이의 임의의 실수 k에 대하여 $f(c) = k$인 c가 a와 b사이에 적어도 하나 존재한다.

『미적분 I』

[나] 평균값 정리

함수 $y - f(c)$가 닫힌 구간 $[a.b]$ 에서 연속이고 열린 구간 (a,b)에서 미분가능하면

$$\frac{f(b) - f(a)}{b - a} = f'(c)$$

인 c가 a와 b 사이에 적어도 하나 존재한다.

『미적분 I』

[다] 미적분의 기본 정리

닫힌 구간 $[a,b]$에서 연속인 함수 $f(x)$의 한 부정적분을 $F(x)$라 하면,

$$\int_a^b f(x)dx = \left[F(x)\right]_a^b = F(b) - F(a)$$

『미적분 I』

[문제 2] 시간 t일 때 수직선 위를 움직이는 점 A의 위치를 s(t)라고 하자. 미분가능한 함수 s(t)는 $s(t) = \int_0^t \dfrac{\sqrt{2}}{2\sqrt{2} + \cos x + \sin x}dx$를 만족한다. (단, t는 t $\geq$ 0 를 만족한다.)

모든 t $\geq$ 0 에 대하여 $\dfrac{1}{3} \leq s'(t) \leq 1$임을 보이고, [나]를 이용하여 $\dfrac{t}{3} \leq s(t) \leq t$임을 보이시오. 그리고 점 B의 위치가 이면, 인 시간 t가 적어도 한 번 있음을 보이시오.

13. 2018학년도 동국대 수시 논술

※ 다음을 읽고 물음에 답하시오.

> [가] $x = a$를 포함하는 어떤 열린 구간에 속하는 모든 x에 대하여 $f(x) \leq f(a)$이면 $f(x)$는 $x = a$에서 극대라고 하며 $f(x)$를 극댓값이라고 한다. 또 $x = a$를 포함하는 어떤 열린 구간에 속하는 모든 x에 대하여 $f(x) \geq f(a)$이면 함수 $f(x)$는 $x = a$에서 극소라고 하며 $f(x)$를 극솟값이라고 한다.
>
> 『미적분 I』
>
> [나] 함수 $f(x)$가 닫힌 구간 $[a,b]$에서 연속일 때, 함수 $f(x)$의 최댓값과 최솟값을 구하여 보자.
>
> 최대·최소 정리에 의하여 함수 $f(x)$는 닫힌 구간 $[a,b]$에서 반드시 최댓값과 최솟값을 갖는다. 그러므로 이 구간에서의 극댓값과 극솟값, $f(a)$, $f(b)$의 값 중에서 가장 큰 값이 최댓값이고 가장 작은 값이 최솟값이다.
>
> 『미적분 I』

[문제] 아래 그림의 두 평행선 사이는 배가 지나갈 만큼 충분히 깊은 물로 채워져 있고 물의 움직임은 없다고 가정하자. 선분 $\overline{AB}$는 평행선에 수직이고 길이는 a (km)이다. 두 지점 B, C의 거리는 b (km)이다. 그림과 같이 철수는 우선 A에서 배를 타고 v (km/h)의 속도로 P까지 강을 건넌 후에 1 (km/h)의 속도로 C까지 걸어가려고 한다. B, P 사이의 거리를 x (km)라고 하면 x는 $0 \leq x \leq b$를 만족한다. 배의 속도 v에 대해 철수가 C에 도착하는 시간이 최소가 되는 B와 P의 거리 x(v)를 구하는 과정을 기술하시오. (단, a, b, c는 모두 양수이고 답안지에 단위는 생략할 수 있음.)

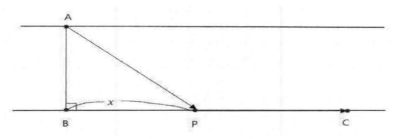

14. 2018학년도 동국대 모의 논술

※ 다음을 읽고 물음에 답하시오.

[가] 미분 가능한 함수 $f(x)$에 대하여

❶ $f(x)$가 $x=a$ 에서 극값을 가지면 $f'(a) = 0$ 이다.

❷ $f'(a) = 0$ 이고 x가 증가하면서 $x=a$를 지날 때 $f'(x)$의 부호가

  ① 양에서 음으로 변하면 $f(x)$는 $x=a$에서 극댓값을 가진다.

  ② 음에서 양으로 변하면 $f(x)$는 $x=a$에 극솟값을 가진다.

-『고등학교 미적분Ⅱ』

[나] 밑면의 반지름의 길이가 r, 높이가 h인 원기둥의 겉넓이

$$A(r)은 \quad A(r) = 2\pi r^2 + 2\pi hr$$

이다. 밑면의 반지름의 길이가 r, 높이가 h인 원기둥의 부피 V(r)은

$$V(r) = \pi h r^2$$

이다. 원기둥의 부피가 일정할 때, 원기둥을 만드는 재료를 최소화 하려면 용기의 겉넓이를 최소화하면 된다.

  함수 $f(x)$가 구간 $[a, b]$에서 연속이면 이 구간에서 $f(x)$는 최댓값과 최솟값을 가진다. 구간 $[a, b]$에서 $f(x)$의 최댓값과 최솟값을 구할 때에는 극댓값, 극솟값, $f(a)$, $f(b)$ 중에서 가장 큰 값과 가장 작은 값을 택하면 된다.

『고등학교 미적분Ⅱ』

[문제] 밑면의 반지름 길이가 r, 높이가 h인 원기둥 모양의 용기를 만들 때, 용기의 부피는 일정하게 하고, r과 h의 길이를 조정하여 용기를 만드는 재료를 최소화하려고 한다면, 원기둥 밑면의 반지름의 길이 r과 높이 h의 비 (r : h)를 어떻게 하면 되는지 [가] ~ [나]를 참고하여 논술하시오.

15. 2017학년도 동국대 수시 논술

※ 다음을 읽고 물음에 답하시오.

밑면으로부터 높이가 x인 지점을 지나고 밑면에 평행한 평면으로 반지름이 r인 반구를 잘랐을 때 생기는 넓이가 $S(x) = \pi(r^2 - x^2)$일 때, 반지름이 r인 구의 부피는 정적분을 이용하여 다음과 같이 구할 수 있다.

$$\text{반지름이 } r \text{ 인 구의 부피 } V = 2\int_0^r \pi(r^2 - x^2)dx$$

철수와 영희는 정해진 컨테이너 박스 안에 반지름이 r인 공 모양의 구를 조밀하게 쌓기로 하였다.

철수는 1층에 4개의 구를 사용하여 정사각형 모양(구의 중심을 연결한 모양)으로 평면을 채운 후, 각 정사각형 모양의 중앙에 1개의 구를 올려놓는 방식으로 2층을 쌓았다. 즉, 1층 4개의 구 사이의 골에 구를 1개 올려놓아 2층을 만들었다. 홀수(3, 5, 7,···)층은 1층과 같은 모양으로 쌓고, 짝수(2, 4, 6,···)층은 2층과 같은 모양으로 쌓는 방법으로 컨테이너 박스를 채웠다.

영희는 1층에 정육각형 모양(구의 중심을 연결한 모양)으로 평면을 채운 후 골이 생기는 곳에 구를 1개씩 올려놓아 2층을 쌓았다. 즉, 1층 3개의 구 사이의 골에 1개의 구를 올려놓아 2층을 만들고, 3층은 2층 3개의 구 사이의 골에 1개의 구를 올려놓는 방법으로 컨테이너 박스를 채웠다.

기본공간을 한 변의 길이가 a 인 정육면체로 잡아서 기본공간의 부피를 구하고 기본공간 안에 구가 차지하는 부피를 구하여 구의 밀도 식을 계산하면 다음과 같다.

$$\text{구의 밀도 식} = \frac{\text{기본 공간 안에서 구가 차지하는 부피}}{\text{기본 공간의 부피}} \times 100(\%)$$

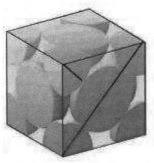

영희가 쌓은 모양의 기본공간의 예시는 주어진 그림과 같다. 일반적으로 구의 밀도 식 값이 큰 쪽이 작은 쪽보다 더 많은 구를 쌓을 수 있다고 한다.

『고등학교 미적분Ⅱ』

[문제] 제시문에 주어진 적분을 이용하여 구의 부피를 구하고, 철수와 영희가 쌓은 모양에 대한 구의 밀도 식 값의 크기를 비교하여, <u>누가 정해진 컨테이너 박스 안에 더 많은 구를 쌓을 수 있는지</u> 논술하시오.

16. 2017학년도 동국대 모의 논술

※ 다음을 읽고 물음에 답하시오.

[가] 함수 $f(x)$ 가 실수 a에서 대하여

  (1) $x = a$에서 정의되어 있고

  (2) 극한값 $\lim\limits_{x \to a} f(x)$가 존재하며

  (3) $\lim\limits_{x \to a} f(x) = f(a)$

일 때, 함수 $f(x)$는 $x = a$에서 연속이라고 한다.

『고등학교 수학 II』

[나] 일반적으로 $\alpha \leq x \leq \beta$ 의 실수값을 가지는 연속확률변수 X에 대하여 다음을 만족하는 함수 $f(x)$를 확률변수 X의 확률밀도함수라고 한다.

  (1) $f(x) \geq 0 \, (\alpha \leq x \leq \beta)$

  (2) $\alpha \leq a \leq b \leq \beta$인 두 실수 a, b에 대하여

$$\mathrm{P}(P(a \leq X \leq b) = \int_a^b f(x)dx \text{ 이다.}$$

  (3) $\int_\alpha^\beta f(x)dx = 1$

『고등학교 적분과 통계』

[문제] 제시문 [가], [나]를 참고하여 다음에 답하시오. 어떤 유행성 감기가 완치되는데 걸리는 시간을 나타내는 연속확률변수를 X라고 놓고 연속확률변수 X가 폐구간 [0,20]에서 값을 갖는다고 가정하자. 연속확률변수 X의 확률밀도함수가 $f(x) = \begin{cases} ax, & 0 \leq x \leq 10 \\ c, & 10 \leq x \leq 20 \end{cases}$ 라고 한다. 함수 $f(x)$가 폐구간 [0,20]에서 연속일 때 a와 c를 구하고, 이 감기를 완치하는데 걸리는 평균시간 E(x)를 구하시오. (답안지에 풀이 과정과 답을 함께 기술하시오.)

17. 2016학년도 동국대 모의 논술

※ 다음을 읽고 물음에 답하시오.

> **[가]**
>
> k가 0이 아닌 실수일 때, 오른쪽 그림과 같이 좌표평면 위에서 점 $P(x,y)$를 점 $P(x',y')$으로 옮기는 변환
> $$f(x,y) \to (kx, ky)$$
> 를 원점을 중심으로 하고 닮음비가 k인 닮음변환이라고 한다.
>
>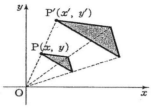
>
> -고등학교 수학 중-
>
>
> **[나]** 함수 $f(x)$가 구간 (a,b)에서 미분 가능하고 $f'(x)$가 연속일 때, 곡선 $y = f(x)$ $(a \le x \le b)$의 길이 l은
> $$l = \int_a^b \sqrt{1 + \{f'(x)\}^2}\, dx = \int_a^b \sqrt{1 + \left(\frac{dy}{dx}\right)^2}\, dx.$$
>
> -고등 교과서 수학 중 -
>
>
> **[다]** 줄의 양 끝을 잡으면 팽팽히 잡아당겼다 하더라도 중력의 영향으로 늘어뜨려진 모양이 된다. 이러한 모양의 곡선을 현수선이라고 한다. 현수선 위의 임의의 점 $(x, f(x))$에서의 접선의 기울기가 $f'(x) = \dfrac{e^x - e^{-x}}{2}$ 이고 $f(0) = 0$이라고 하면,
>
> $f(x) = \dfrac{e^x + e^{-x}}{2} - 1$ 이다.
>
> -고등학교 수학-

[문제] 제시문 **[다]**에서 주어진 현수선 $y = f(x)$위의 두 점 $(-a, f(-a))$와 $(a, f(a))$ 사이의 현수선의 길이를 제시문 **[나]**를 이용하여 구하시오. 길이가 6m인 줄의 양끝을 같은 높이로 고정하였을 때 줄의 가운데가 양끝 고정점에 비하여 1m 아래로 늘어뜨려졌다고 가정하고, 이 줄의 모양이 제시문 **[다]**의 현수선 $y = f(x)$에 제시문 **[가]**에서 설명한 닮음변환에 의하여 얻어진 곡선과 같다고 할 때, 닮음비 k를 구하고 줄의 양끝 고정점 사이의 거리를 계산하시오.

18. 2016학년도 동국대 수시 논술

※ 다음을 읽고 물음에 답하시오.

[문제] 시각 t에서 좌표평면 위를 움직이는 점 $P(x, y)$의 x와 y $x = e^{-t}\cos t$, $y = e^{-t}\sin t$ 일 때 시각 t에서 점 P의 속도와 가속도를 구하고 $t = 2$에서 속력을 제시문 (나)를 이용하여 풀이 과정과 답을 서술하시오. 그리고 $t = 0$에서 $t = \pi$ 까지 점 P가 움직인 거리를 제시문 (다)를 이용하여 풀이 과정과 답을 서술하시오.

제시문(가)

지면으로부터 일정한 각도로 던진 물체는 포물선 운동을 한다. 이 때 수평 방향으로는 등속운동을 하고 연직방향으로는 등가속도 운동을 한다. 수직선 위를 움직이는 점 P의 위치 x가 시각 t의 함수 $x = f(t)$로 나타내어질 때 시각 t에서 점 P의 속도 v와 가속도 a는 각각 다음과 같이 정의한다.

$$v = \frac{dx}{dt} = f'(x), \quad a = \frac{dv}{dt} = f'(t)$$

(고등학교 수학)

제시문(나)

평면 위를 움직이는 물체의 속도와 가속도는 시각 t에서의 위치를 x축 방향과 y축 방향으로 나누어 구할 수 있다. 점 $P(x, y)$가 좌표평면 위를 움직일 때 x와 y는 각각 시각 t의 함수이므로 $x = f(x), y = g(t)$와 같이 나타낼 수 있다. 벡터 $\vec{v} = (\frac{dx}{dt}, \frac{dy}{dt}) = (f'(t), g'(t))$를 시각 t에서 점 P의 속력이라 한다. 그리고

$$|\vec{v}| = \sqrt{(\frac{dx}{dt})^2 + (\frac{dy}{dt})^2} = \sqrt{\{f'(t)\}^2 + \{g'(t)\}^2}$$

을 점 P의 속력이라 한다. 그리고 $\vec{a} = (\frac{d^2x}{dt^2}, \frac{d^2y}{dt^2}) = (f''(t), g''(t))$ 을 시각 t에서 점 P의 가속도라 한다.

(고등학교 수학)

제시문(다)

시각 t에서 좌표평면 위를 움직이는 점 $P(x, y)$의 x와 y가 $x = f(t), y = g(t)$일 때 $t = a$에서 $t = b$ 까지 점 $P(x, y)$가 움직인 거리 s는 다음과 같다.

$$s = \int_a^b \sqrt{(\frac{dx}{dt})^2 + (\frac{dy}{dt})^2}\, dt$$

(고등학교 수학)

19. 2015학년도 동국대 수시 논술

※ 다음을 읽고 물음에 답하시오.

제시문(가)

과속으로 인한 자동차 사고를 예방하기 위하여 도로의 상태에 따라 제한속도를 정하고 때로는 단속을 통하여 과속을 예방하고 있다. 특히 운전자가 무인 단속 카메라 앞에서는 감속을 하지만 곧 과속을 하는 경향이 있기 때문에 우리나라에서도 '구간 단속'이란 방법을 도입하였다. 이를테면 제한속도가 시속 100 km인 직선 도로에서 10 km 간격을 두고 설치되어 있는 카메라를 어떤 자동차가 5분 만에 통과하였다면, 이 자동차의 평균속도가 시속 120 km이므로 이 구간 사이에서 적어도 한 번은 과속을 했다는 뜻이므로 단속 대상이 된다.

$$\frac{A지점과 B지점 사이의 거리}{(B지점 단속 시각 - A지점 단속 시각)} = (구간 평균속도)$$

-『고등학교 수학』

제시문(나)

평균값의 정리: 함수 $f(x)$가 닫힌 구간 $[a,b]$ 에서 연속이고 열린 구간 (a,b)에서 미분가능하면

$$\frac{f(b)-f(a)}{b-a} = f'(c)$$

인 c가 a와 b사이에 적어도 하나 존재한다.

-『고등학교 수학』

제시문(다)

점 P 가 수직선 위를 시각 $t=a$ 에서 $t=b$까지 움직일 때, 시각 t에서의 속도를 $v(t)$ 라고 하면 시각 $t=a$ 에서 $t=b$ 까지 점 P 의 위치의 변화량은 $\int_a^b v(t)dt$이다.

[문제] 최대 2 m/s²로 가감속할 수 있는 모형자동차로 일직선으로 25 m 지점까지 주행하고자 한다. 출발시각부터 16 m 지점을 통과하는 시각까지 평균 속도가 2 m/s라고 할 때, 25 m를 주행하는 데 적어도 9초가 필요함을 제시문【가】,【나】,【다】를 이용하여 설명하시오. (단, 모형자동차는 출발지점에서 정지 상태이며 후진을 하지 않고 일직선으로만 주행한다.)

20. 2014학년도 동국대 수시 논술

※ 다음을 읽고 물음에 답하시오.

【가】 <표 1>은 남아메리카 국가연합에 소속된 12개국의 면적과 인구의 통계 자료이다. 여기에 나타나는 24개의 숫자자료 중 첫 번째 자리의 숫자가 1로 시작하는 항목은 모두 8개이고, 2로 시작하는 항목은 총 5개로 첫 번째 자리의 숫자가 8이나 9로 시작하는 항목보다 훨씬 자주 나타나고 있다.

 십진수로 표시된 수는 첫 번째 자리에 1부터 9까지의 9가지 숫자가 될 수 있다. 따라서 일반적인 통계자료에서 첫 번째 자리의 숫자가 1일 확률이 1/9로 나올 것으로 예상하기 쉽다. 하지만 <표 1>에서처럼 어떤 경우에는 자료의 값이 첫 번째 자리의 숫자가 1인 경우는 1/9보다 훨씬 많이 나타나고 반대로 9는 적게 나타난다. 이러한 현상은 하천의 길이나 호수의 넓이 등 여러 자연현상의 자료뿐만 아니라 개인의 소득, 기업의 회계자료 등 사회현상의 많은 자료에서도 공통적으로 나타난다. 미국 TV 드라마 '넘버스'에는 주인공이 통계 자료의 수가 가지는 이러한 성질을 가지고 범죄를 해결하는 이야기가 나온다. 실제로 사람이 인위적으로 고른 숫자로 만들어진 가짜 자료는 이러한 특성을 따르기가 어렵기 때문에 회계부정이나 위조 자료를 통한 의료보험의 부정수급 등을 적발하는 데 사용한다고 한다.

<표 1> 남아메리카 국가 연합 개요

국가	면적(km^2)	인구 (백만명)	국가	면적(km^2)	인구 (백만명)
가이아나	214,969	0.7	에콰도르	283,560	13.9
베니수엘라	912,046	27.9	우루과이	177,409	3.3
볼리비라	1,098,575	9.5	칠레	756,626	16.8
브라질	8,547,360	192.4	콜롬비아	1,138,906	48.2
수리남	163,270	0.5	파라과이	406,747	6.5
아르헨티나	2,780,388	39.8	페루	1,285,214	29.1

(자료출처 : 고등학교 세계 지리)

【나】 자료의 어떤 통계적 특성이 단위에 의존하지 않는다는 것은 다른 단위를 사용하더라도 그 통계적 특성이 바뀌지 않는다는 것을 의미한다. 예를 들어, 길이의 통계자료를 미터로 나타내거나 리(里) 또는 피트나 야드로 자료의 단위를 바꾸더라도 그 통계적 특성은 유지된다. 특히 경제적 가치는 각 나라의 화폐 단위로 표시되고 다른 화폐 단위로의 변경은 환율을 곱하여 이루어지는데, 환율은 거의 연속적으로 변하는 값이다.

【다】 임의의 양수 N은 N=$a \times 10^n$ (n은 정수, $1 \leq a \leq 10$)의 꼴로 나타낼 수 있다. 따라서 N의 상용로그의 값은

$$\log N = \log(a \times 10^n) = \log a + \log 10^n = n + \log a$$

이므로 logN의 값을 구하려면 상용로그표에서 $\log a$의 값을 찾고, 이 값에 정수 n을 더하면 된다. 여기서 정수 n을 logN의 지표, $\log a$를 logN의 가수라 한다. 이때 $1 \leqq a \leqq 10$이므로 $0 \leqq \log a < 1$이다.

- 고등학교 수학

【라】 연속확률변수 X의 확률밀도함수 $f(x)$에 대하여

(1) $f(x) \geq 0$

(2) 함수 $f(x)$의 그래프와 x축 사이의 넓이는 1이다.

(3) 확률 $P(a \leqq X \leqq b)$는 함수 $f(x)$의 그래프와 x축 및 두 직선 $x = a$, $x = b$로 둘러싸인 부분의 넓이이다. 즉, $P(a \leq X \leq b) = \int_a^b f(x)dx$

- 고등학교 수학

[문제 1] 현재 환율이 1달러에 1,00원이라고 하자. 달러의 가치가 원화에 대비하여 매년 $\frac{2}{3}$씩 하락한다면, 10년 후와 20년 후 각각의 1달러 대비 원화 금액의 첫 번째 자리 숫자가 무엇인지 제시문 【다】에서 설명한 상용로그 가수를 이용하여 계산하시오. (단, $\log 2 = 0.3010$, $\log 3 = 0.4771$을 사용하며, 풀이과정을 포함하여 기술하시오.)

[문제 2] 제시문 【가】에서 설명한 첫 번째 자리의 숫자의 분포에 대한 법칙을 상용로그 가수의 분포를 통하여 찾고자 한다. 첫 번째 자리의 숫자의 분포를 따르는 상용로그 가수의 확률변수가 제시문 【라】에서 설명한 확률밀도함수를 가진다고 하자. 제시문 【나】에서 설명한 단위에 의존하지 않는다는 가정을 이용하여 상용로그 가수의 확률밀도함수를 구하시오. 이때 첫 번째 자리의 숫자가 2일 확률을 구하시오. (단, 풀이과정을 포함하여 기술하시오.)

21. 2013학년도 동국대 수시 논술

※ 다음을 읽고 물음에 답하시오.

자동차에 쓰이는 연료는 자동차를 움직이는 데 꼭 필요한 것이지만 그 배출 가스는 환경오염의 원인이 되고 있다. 따라서 환경오염을 줄이기 위해서는 연료를 될 수 있는 대로 적게 소모해야 한다. 연료를 절감하는 방법 중의 하나는 경제속도로 주행하는 것이다. 경제속도란 가장 적은 연료로 가장 먼 거리를 달릴 수 있는 속도를 뜻한다.

아래의 [그림 1]은 어떤 자동차의 속도(km/h)에 따른 시간당 연료 소모량(L/h)을 나타낸 것이다. 자동차는 시동을 건 상태로 정지해 있는 경우에도 연료가 소모된다. 자동차가 움직이기 시작하면 시간당 연료 소모량은 감소하는데, [그림 1]에서 보는 것처럼 60km/h 정도에서 시간당 연료 소모량이 최소가 된다. 이 자동차의 연비 (km/L)는 언뜻 보기에 이때가 가장 최대인 것처럼 보이지만 이때가 가장 효율적인 것은 아니다. 최대의 연비를 구하려면 원점과 곡선위의 점을 지나는 직선의 기울기가 최소인 점을 찾아야 한다. [그림 1]의 경우에는 원점을 지나는 직선이 곡선의 점 Q에서 접할 때 직선의 기울기가 최소가 된다는 것을 알 수 있다. 따라서 이 자동차의 경제속도는 70km/h이며, 이 속도를 유지하면서 정속 주행할 때 가장 효율적인 운전이 되는 것이다.

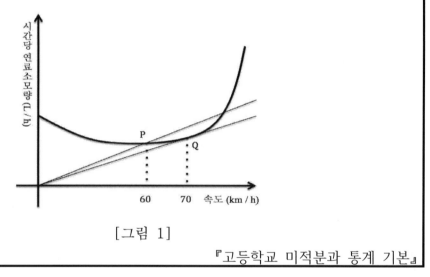

[그림 1]

『고등학교 미적분과 통계 기본』

[문제 1] 시간조건이 $0 \le t \le 3$일 때 어떤 차량의 연료 소모량 $g(t)$가 아래와 같다고 가정하자.

$$g(t) = \int_0^t (2x^3 - 15x^2 + 36x)\,dx$$

주어진 시간조건에서 이 차량의 시간당 연료 소모량이 최대가 되는 t의 값과 풀이를 기술하시오. (단, 시간당 연료 소모량은 $g'(t)$이다.)

[문제 2] 어떤 차량의 속도와 시간당 연료 소모량의 그래프가 아래의 그림과 같다. $y = \dfrac{1}{3}x^3 - x^2 + 9,\ x \geq 0$ 일 때, 이 차량의 시간당 연료 소모량이 최소가 되는 속도와 경제속도를 제시문의 내용을 바탕으로 각각 구하고 풀이를 기술하시오.

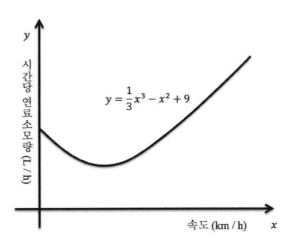

22. 2012학년도 동국대 수시 논술

※ 다음을 읽고 물음에 답하시오.

[가] 한 시행(trial)에서 특정 결과가 나올 가능성을 확률이라 한다. 통계학에서는 확률을 표본공간(sample space), 사건(event), 확률함수(probability function)를 이용하여 정의한다. 표본공간은 시행에서 나올 수 있는 모든 결과의 집합을 의미하고, 사건은 시행의 결과로서 특정 결과를 기술하는 조건으로 표현되는 표본공간의 부분집합이 된다. 확률함수는 표본공간에서 사건에 대응하는 결과가 차지하는 비율을 정의하는 함수다.

[나] 다음 사각형 영역의 상공에서 광고 전단지를 살포했다.

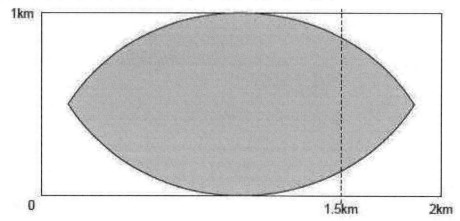

전단지가 사각형 영역에 균일하게 뿌려진다고 가정할 경우, 회색 영역에 떨어질 확률을 구하고자 한다. 이 경우 시행은 전단지를 공중에서 살포하는 행위로 정의되고, 표본공간은 시행의 결과인 전단지 착지 위치의 집합, 즉 사각형 영역이 된다. 사건은 전단지가 회색 영역에 떨어지는 것이다. 확률함수는 이 시행에서 전단지가 사각형 영역에 균일하게 살포되기 때문에 사각형에서 사건에 해당하는 영역의 비율로 정의할 수 있다.

[다] 전단지 살포 시행을 컴퓨터를 이용한 모의 실험을 통해 특정 사건의 확률을 구할 수 있다. 전단지의 착지 위치 (x,y)는 표본공간의 어느 위치나 동일한 가능성을 갖는 것을 가정하므로, 난수(random number)를 발생하여 모의 좌표를 생성한다. 즉, x는 0에서 2 사이에, y는 0에서 1 사이에서 각각 동일한 가능성을 가정하여 추출된 난수로 모의 좌표 (x,y)를 만든다. 예를 들면, 백만 개의 모의 좌표를 생성하면 전단지를 모의 살포하여 착지 위치를 기록한 것으로 간주할 수 있다. 백만 개의 모의 좌표들 중에 회색 영역 조건을 만족하는 좌표의 개수 비율을 구하여 회색 영역에 전단지가 살포될 확률을 구할 수 있다. 다만, 모의 실험을 통한 확률을 추정할 때, 난수로 생성되는 모의 좌표의 개수가 충분히 많아야 추정된 확률이 실제 확률에 근사한다는 점에 주의해야 한다

[문제 1] 제시문을 이용하여 아래 회색 영역에 해당하는 $\int_0^\pi \sin x \, dx$를 추정하는 방법을 설명하시오.

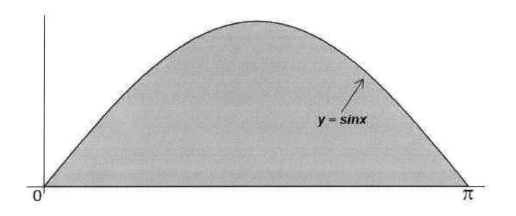

[문제 2] 제시문 [나]의 그림에서 점선 왼쪽과 오른쪽에 동일수량의 전단지를 살포했다고 가정한 경우 회색 영역의 면적을 추정하는 방법을 설명하시오.

23. 2011학년도 동국대 수시 응용

※ 다음을 읽고 물음에 답하시오.

> 태평양 거대 쓰레기 지대(Great Pacific Garbage Patch)는 각각 하와이 북쪽 지역과 일본과 하와이 사이 지역을 떠다니는 두 개의 거대한 쓰레기 더미를 일컫는다. 이 쓰레기 더미들은 지금까지 인류가 만든 인공물 중 가장 큰 것들로, 하와이 북단의 덩어리 하나만 해도 한반도의 6배 크기다. 이처럼 쓰레기가 한 곳으로 모여 섬에 가까운 모습이 된 것은 원형 순환 해류와 바람 때문인 것으로 알려져 있다. 이러한 태평양 거대 쓰레기 지대 때문에 수많은 해양생물들이 피해를 보고 있으며, 특히 먹이로 잘못 알고 먹었다가 죽게 되는 사례도 있다.
>
> [가] A, B 두 지역에 부유물이 모여 있다. A, B 외의 다른 지역으로부터 부유물의 유입이 없고, 부유물이 새로 생성되거나 사라지지 않는다고 할 때, 매월 두 지역 A, B의 부유물의 양이 어떻게 변하는지 표현해 보자.
>
> 1월 초 두 지역 A, B의 부유물 양은 각각 10,000톤, 70,000톤이라 하자. 또 매월 지역 A의 부유물 $\frac{1}{3}$이 지역 B로 이동하고 지역 B의 부유물 $\frac{1}{3}$이 지역 A로 동시에 이동한다고 가정하자.
>
> n월 초 두 지역 A, B의 부유물 양을 각각 a_n, b_n으로 나타내면, 위의 가정에 의해 한 달 동안 지역 A의 부유물은 $\frac{1}{3}a_n$이 지역 B로 이동하였으므로 $\frac{2}{3}a_n$만큼 남아 있고, 지역 B의 부유물 $\frac{1}{3}b_n$이 지역 A로 이동하였다. 따라서 $(n+1)$월 초 지역 A의 부유물은 $a_{n+1} = \frac{2}{3}a_n + \frac{1}{3}b_n$으로 표현할 수 있다. 같은 방법으로 지역 B의 부유물은 $b_{n+1} = \frac{1}{3}a_n + \frac{2}{3}b_n$으로 나타낼 수 있다.

[문제 1] 제시문 [가]에 나타난 두 지역 A, B의 부유물 양은 시간이 지남에 따라 각각 x, y로 수렴한다. 즉 $x = \lim_{n \to \infty} a_n$, $y = \lim_{n \to \infty} b_n$이 성립한다. 이때 x, y를 구하는 과정을 기술하시오.

[문제 2] n월 초 지역 C, D의 부유물 양을 각각 c_n, d_n이라고 하자($n = 1, 2, 3$). 또한, C와 D 외의 다른 지역으로부터 부유물의 유입이 없고, 부유물이 새로 생성되거나 사라지지 않는다고 가정하자. 1월에는 지역 C의 부유물 1/5이 지역 D로 이동하고, 지역 D의 부유물 2/5가 지역 C로 동시에 이동하였다. 2월에는 지역 C의 부유물 3/5이 지역 D로 이동하고, 지역 D의 부유물 2/5가 지역 C로 동시에 이동하였다. 만족하는 c_n, d_n 구하는 과정을 제시문 [가]를 참조하여 기술하시오.

24. 2010학년도 동국대 모의 논술

※ 다음을 읽고 물음에 답하시오.

수학에서 기호의 사용은 매우 중요하다. 복잡한 이론을 유도하는데 수학의 기호를 사용하는 것은 문제 를 간결하고 명확하게 분석하는데 효과적일뿐만 아니라 그 내용을 왜곡됨이 없이 정확히 전달할 수 있기 때문이다.

많은 수학 기호 중에 n개의 수열 $a_1, a_2, a_3, \ldots$들의 합을 의미하는 합의 기호 $\sum\limits_{i=1}^{n} a_i$는 자주 사용된다. a_i의 i는 수열 $a_1, a_2, a_3, \ldots$에서 개개의 수를 구분하는 색인이다. 예를 들어 $\sum\limits_{i=1}^{4} a_{2i+1}$은 a_3, a_5, a_7, a_9 네 개의 수들의 합을 의미한다. 이 경우 a_3, a_5, a_7, a_9들의 색인은 3, 5, 7, 9로 2개씩 차이가 나는 일련의 또 다른 수열이 됨을 알 수 있다. 만일 이렇게 색인들 간의 차가 등간격이 아닌 경우는 $\sum\limits_{i \in I} a_i$로 그 합을 표시할 수 있다. 여기서 I는 색인들의 집합을 의미한다. 가령 색인들의 집합을 $I = \{1, 7, 9, 10\}$로 정의한다면 $\sum\limits_{i \in I} a_i$는 a_1, a_7, a_9, a_{10}의 합을 의미한다.

$a_1, a_2, a_3, \ldots$외에 또 다른 수열 $b_1, b_2, b_3, \ldots$이 있는 경우를 생각해 보자. 두 가지 이상의 수열이 있는 경우 이들 간의 다양한 형태의 합을 계산하기 위해 합의 공식이 사용될 수 있다. $\sum\limits_{i=1}^{2} \sum\limits_{j=1}^{3} (a_i + b_j)$은 $a_1 + b_1$, $a_1 + b_2$, $a_1 + b_3$, $a_2 + b_1$, $a_2 + b_2$, $a_2 + b_3$들의 합을 나타낸다. 물론 합의 기호의 성질을 이용하면 $\sum\limits_{i=1}^{2} \sum\limits_{j=1}^{3} (a_i + b_j)$을 $3(a_1 + a_2) + 2(b_1 + b_2 + b_3)$으로도 표현할 수 있다.

좀 더 복잡한 예를 생각해 보자. $\sum\limits_{i=1}^{10} a_i(2i) + \sum\limits_{j=1}^{10} (b_{2j-1} + b_{2j})(11 - j)$는 다음과 같은 수들의 합을 구하는데 사용될 수 있다.

$a_1 + b_1$, $a_1 + b_2$,
$a_2 + b_1$, $a_2 + b_2$, $a_2 + b_3$, $a_2 + b_4$,
$a_3 + b_1$, $a_3 + b_2$, $a_3 + b_3$, $a_3 + b_4$, $a_3 + b_5$, $a_3 + b_6$
$\vdots$
$a_{10} + b_1$, $a_{10} + b_2$, $a_{10} + b_3$, $a_{10} + b_4$, $a_{10} + b_5$, $a_{10} + b_6$, $\ldots$, $a_{10} + b_{20}$

재미있는 사실은 위와 같이 수들을 나열하여 봄으로써 그 합은 다소 복잡해 보이는 $\sum\limits_{i=1}^{10} a_i(2i) + \sum\limits_{j=1}^{10} (b_{2j-1} + b_{2j})(11 - j)$가 실은 $\sum\limits_{i=1}^{10} \sum\limits_{j=1}^{2i} (a_i + b_j)$으로도 표현될 수 있다는 점이다. 마치 똑같은 내용이 기술하는 사람에 따라 다양하게 표현되듯이 수학의 기호를 통한 표현도 다양함을 알 수 있다. 물론 위 예의 경우는 $\sum\limits_{i=1}^{10} \sum\limits_{j=1}^{2i} (a_i + b_j)$이 그 수식의

목적을 전달하는 데는 $\sum_{i=1}^{10} a_i(2i) + \sum_{j=1}^{10}(b_{2j-1}+b_{2j})(11-j)$ 보다 더 간결하고 효과적임을 알 수 있다.

[문제 1] 다음 두 수열 $a_1=3$, $a_2=5$, $a_3=2$와 $b_1=6$, $b_2=-1, b_6=3 b_4=7$, $b_5=2, b_6=3$을 생각해 보자. a_i를 $b_1, b_2, b_3,...$수열의 첫 번째부터 $2i$번째 수까지에서 각각 빼준 값들 모두를 더해 근을 구하고자 한다. 이에 대해 제시문 내용의 활용방안을 기술하고 근을 구하시오.

※ 다음을 읽고 물음에 답하시오.

【가】한국의 소득 계층별 소득분배자료를 보면, 2000년의 경우 하위 40%의 소득 계층은 전체 소득의 18.21%만 차지하고 있는 반면 상위 20%의 소득 계층은 전체 소득의 42.55%를 차지하고 있다. 10분위 분배율은 일반적으로 많이 사용하는 다음 공식으로 계산한 것이다. 이 값이 높을수록 소득분배는 평등하며, 낮을수록 불평등하다.

$$10분위\ 분배율 = \frac{하위\,40\%\,소득분배분}{상위\,20\%\,소득분배분}$$

2000년 한국의 소득분배자료에서의 10분위 분배율은 0.428이다.

－ 이정우, 『불평등의 경제학』

【나】미국의 통계학자 로렌츠(Lorentz, M. O.)는 한 나라 국민의 소득 분배 정도를 파악하기 위하여 로렌츠 곡선을 고안하였다. 로렌츠 곡선은 아래쪽 그림과 같이 가로축에 소득액 순으로 누적 인구(%)를, 세로축에 누적 소득(%)을 나타냄으로써 얻어지는 곡선이다. 소득분배가 완전히 균등하면 곡선은 대각선(균등분포선)과 일치한다. 그러나 소득 분배가 균등하지 않을 때 대각선과 곡선 사이의 넓이로 소득 분배의 불균등 정도를 알 수 있다.

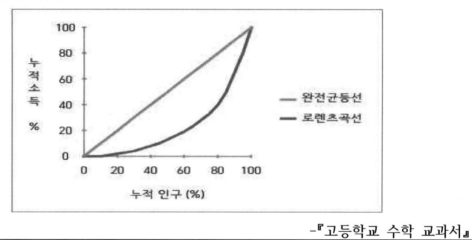

－『고등학교 수학 교과서』

[문제 2] 제시문 [나]에서 인구가 충분히 많다고 가정하고, 로렌츠 곡선을 2번 미분가능하다고 하자. 또 로렌츠 곡선이 직선인 구간이 없다고 가정한다면, 로렌츠 곡선은 그림처럼 언제나 아래로 볼록이다. 그 이유를 수학적으로 설명하시오.

25. 2010학년도 동국대 수시 논술

※ 다음을 읽고 물음에 답하시오.

[가] 수열은 어떤 규칙에 의해 순서가 정해진 채 나열되는 수들의 집합을 의미한다. 이러한 수들의 관계가 수식으로 정의될 수 있다면 해당 수열에 대한 여러 가지 연산을 손쉽게 할 수 있다. 예를 들면, n을 자연수라 할 때 수열의 일반항 a_n이 $a_n = 2n - 1$로 정의되면, 수열은 $a_1 = 1$, $a_2 = 3$, $a_3 = 5, \cdots$과 같은 홀수들을 나타내는 것임을 쉽게 알 수 있다. 수열에 관한 이러한 식은 수들 간의 관계를 탐구하고, 이를 간결하게 정리하는데 유용하다. 가령 57번째 수를 알고자 한다면 일반항으로부터 $a_{57} = 2 \times 57 - 1 = 113$임을 신속히 확인할 수 있다. 또한, a_1부터 a_{100}까지의 합, 즉

$$a_1 + a_2 + a_3 + \cdots + a_{100} = \sum_{n=1}^{100} a_n$$을 구하기 위해 $a_1, \cdots, a_{100}$의 값을 일일이 구해서 합할 필요 없이 1부터 k까지 자연수의 합이 $\sum_{n=1}^{k} n = \dfrac{k(k+1)}{2}$이라는 사실을 이용하여

$$\sum_{n=1}^{100} a_n = \sum_{n=1}^{100} (2n-1) = 2\sum_{n=1}^{100} n - 100 = 100 \times 101 - 100 = 10000$$

임을 쉽게 계산해 낼 수 있다.

[나] 수열들 중에는 재미있는 특성을 지닌 것도 있는데, 피보나치(Fibonacci) 수열은 그 생성규칙의 특이성과 성질로 인해 문화, 예술 등에 많은 영향을 주었다. 피보나치 수열은 다음과 같다.

$$b_1 = 1, \ b_2 = 1, \ b_3 = 2, \ b_4 = 3, \ b_5 = 5,$$
$$b_6 = 8, \ b_7 = 13, \ b_8 = 21, \ b_9 = 34, \ b_{10} = 55, \cdots$$

이 수열을 수열의 초기 값과 이웃하는 항들 사이의 관계식으로 구성되는 점화식으로 표현하면, 피보나치 수열이 어떻게 생성된 것인지를 이해하기가 매우 쉽다.

$$b_1 = 1,$$
$$b_2 = 1,$$
$$b_n = b_{n-2} + b_{n-1}, \qquad n = 3, \ 4, \ 5, \ 6, \cdots$$

즉, b_1과 b_2는 1로 주어지고, b_3부터는 앞의 두 수의 합으로 정의된다는 것을 쉽게 확인할 수 있다. 하지만 위의 점화식으로는 b_n이 얼마인지 바로 확인하는 것은 매우 어렵다. 왜냐하면 b_{n-1}과 b_{n-2}를 알아야 하는데 이 값들 역시 b_{n-3}과 b_{n-4}의 계산 없이 구할 수 없기 때문이다. 물론 일반항을 이용한다면 쉽게 계산할 수 있다. 아래와 같은 피보나치 수열의 일반항은 다소 복잡해 보일 뿐만 아니라 점화식보다 피보나치 수열의 생성방식을 이해하는 데는 불편하다.

$$b_n = \frac{1}{\sqrt{5}} \left[\left(\frac{1 + \sqrt{5}}{2} \right)^n - \left(\frac{1 - \sqrt{5}}{2} \right)^n \right], \quad n = 1, \ 2, \ 3, \cdots$$

피보나치 수열에서 $\lim\limits_{n\to\infty}\dfrac{b_{n+1}}{b_n}=\dfrac{1+\sqrt{5}}{2}$ 은 흥미롭게도 고대 그리스인들 사이에서 가장 조화로운 비율로 믿어져왔던 황금비의 값(1.618...)과 일치한다. 이 황금비의 값은 지금까지도 미술, 음악, 역사, 건축, 생물학, 심리학 등의 다양한 영역에서 활용되고 있는데, 이 값은 피보나치 수열의 점화식의 변형 $\dfrac{b_n}{b_{n-1}}=\dfrac{b_{n-2}}{b_{n-1}}+1$과 수열의 극한 등을 이용하여 유도해 낼 수 있다.

[문제 1] 수열을 수식으로 표현하는 두 가지 방법에 관해 제시문을 근거로 서술하시오.

[문제 2] 피보나치 수열의 점화식을 이용하여 황금비의 값을 구하는 방법에 관해 서술하시오.

VI. 예시 답안

1. 2024학년도 동국대 수시 논술

[문제 1] 다음 방정식에 대하여 물음에 답하시오. (단, k는 실수이다.)

$$x^2 + y^2 = (kx+1)^2$$

(1) $k=0$이면 주어진 방정식은 원의 방정식이다. 이 원의 중심과 반지름을 각각 구하시오.

(2) $k=\dfrac{1}{2}$이면 주어진 방정식은 타원의 방정식이다. 이 타원의 초점의 좌표와 꼭짓점의 좌표를 각각 구하시오.

(3) $k=1$이면 주어진 방정식은 포물선의 방정식이다. 이 포물선의 초점의 좌표와 준선의 방정식을 각각 구하시오.

(4) $k=2$이면 주어진 방정식은 쌍곡선의 방정식이다. 이 쌍곡선의 초점의 좌표와 점근선의 방정식을 각각 구하시오.

---

(1) $k=0$이면 주어진 방정식은 $x^2 + y^2 = 1$이므로 중심이 $(0,\ 0)$이고, 반지름이 1인 원이다.

(2) $k=\dfrac{1}{2}$이면 주어진 방정식은 $x^2 + y^2 = \left(\dfrac{1}{2}x+1\right)^2$이므로

$$\frac{3}{4}x^2 - x + y^2 = 1,\quad \frac{3}{4}\left(x - \frac{2}{3}\right)^2 + y^2 = \frac{4}{3},\quad \frac{\left(x - \dfrac{2}{3}\right)^2}{\dfrac{16}{9}} + \frac{y^2}{\dfrac{4}{3}} = 1$$

이다. 따라서, $k=\dfrac{1}{2}$이면 주어진 방정식은 타원 $\dfrac{x^2}{\dfrac{16}{9}} + \dfrac{y^2}{\dfrac{4}{3}} = 1$을 x축의 양의 방향으로 $\dfrac{2}{3}$ 만큼 평행 이동한 타원의 방정식이 된다. 제시문 [가]에서 $a = \dfrac{4}{3}, b = \dfrac{2\sqrt{3}}{3}$, $c = \sqrt{a^2 - b^2} = \dfrac{2}{3}$이므로 초점의 좌표는 $\left(\dfrac{4}{3},\ 0\right)$, $(0,\ 0)$이고, 꼭짓점의 좌표는 $(2,\ 0)$, $\left(-\dfrac{2}{3},\ 0\right), \left(\dfrac{2}{3},\ \dfrac{2\sqrt{3}}{3}\right), \left(\dfrac{2}{3},\ -\dfrac{2\sqrt{3}}{3}\right)$이 된다.

(3) $k=1$이면 주어진 방정식은 $x^2 + y^2 = (x+1)^2$이므로

$$y^2 = 2x + 1 = 2\left(x + \frac{1}{2}\right)$$

이다. 따라서, $k=1$이면 주어진 방정식은 포물선 $y^2 = 2x$을 x축의 방향으로 $-\dfrac{1}{2}$만큼 평행 이동한 포물선이 된다. 제시문 [나]에서 $p = \dfrac{1}{2}$가 되므로 초점의 좌표는 $(0,\ 0)$이고 준

선의 방정식은 $x=-1$이다.

(4) $k=2$이면 주어진 방정식은 $x^2+y^2=(2x+1)^2$이므로

$$3x^2+4x-y^2=-1, \quad 3\left(x+\frac{2}{3}\right)^2-y^2=\frac{1}{3}, \quad \frac{\left(x+\frac{2}{3}\right)^2}{\frac{1}{9}}-\frac{y^2}{\frac{1}{3}}=1$$

이다. 따라서, $k=2$이면 주어진 방정식은 쌍곡선 $\dfrac{x^2}{\frac{1}{9}}-\dfrac{y^2}{\frac{1}{3}}=1$을 x축의 방향으로 $-\dfrac{2}{3}$만

큼 평행 이동한 쌍곡선이 된다. 제시문 [다]에서 $a=\dfrac{1}{3}$, $b=\dfrac{\sqrt{3}}{3}$, $c=\sqrt{a^2+b^2}=\dfrac{2}{3}$이므

로, 초점의 좌표는 $(0,\,0)$, $\left(-\dfrac{4}{3},\,0\right)$이고 점근선의 방정식은 $y=\pm\sqrt{3}\left(x+\dfrac{2}{3}\right)$이다.

[문제 2] 함수 $f(x)=\sin x+4x+1$의 역함수 $f^{-1}(x)$가 존재하고 미분가능하다. 실수 t에 대하여 곡선 $y=f(x)$위의 점 $(t,\,f(t))$에서의 접선을 l_1, 곡선 $y=f^{-1}(x)$위의 점 $(f(t),\,t)$에서의 접선을 l_2라 하고, l_1과 l_2가 이루는 예각의 크기를 θ라 할 때, $g(t)=\tan\theta$라고 하자. 다음 물음에 답하시오.

(1) $g\left(\dfrac{\pi}{2}\right)$의 값을 구하시오.

(2) 함수 $g(t)$의 최솟값을 구하시오.

(3) $\displaystyle\int_{f(0)}^{f(2\pi)}g\left(f^{-1}(x)\right)dx$의 값을 구하시오.

---

(1) 곡선 $y=f(x)$위의 점 $(t,\,f(t))$에서의 접선의 기울기는 $f'(t)=\cos t+4$이고, 이 접선과 x축의 양의 방향이 이루는 각의 크기를 α라고 하면 $\tan\alpha=f'(t)=\cos t+4$이다. 또한 역함수 미분법에 의해 곡선 $y=f^{-1}(x)$ 위의 점 $(f(t),\,t)$에서의 접선의 기울기는 $\dfrac{1}{f'(t)}$이고, 이 접선과 x축의 양의 방향이 이루는 각의 크기를 β라고 하면 $\tan\beta=\dfrac{1}{f'(t)}$이다.

그러므로 $g(t)=\tan\theta=\tan(\alpha-\beta)=\dfrac{\tan\alpha-\tan\beta}{1+\tan\alpha\tan\beta}=\dfrac{(f'(t))^2-1}{2f'(t)}$이다. $f'\left(\dfrac{\pi}{2}\right)=4$이므로 $g\left(\dfrac{\pi}{2}\right)=\dfrac{15}{8}$이다.

(2) $g(t)=\dfrac{(\cos t+4)^2-1}{2(\cos t+4)}$에서 $\cos t+4=s\,(3\le s\le 5)$로 치환하면 $g(t)$의 최솟값은 $h(s)=\dfrac{s^2-1}{2s}\,(3\le s\le 5)$의 최솟값과 같다. $h'(s)=\dfrac{1+s^2}{2s^2}>0$이므로 $h(s)$는 구간 $[3,\,5]$에서 증가함수이고 $s=3$일 때, 함수 $g(t)$의 최솟값은 $h(3)=\dfrac{4}{3}$이다.

(3) $x = f(t)(0 \le t \le 2\pi)$**와 제시문 [다]를 이용하면**

$$\int_{f(0)}^{f(2\pi)} g\big(f^{-1}(x)\big)dx = \int_0^{2\pi} g(t)f'(t)dt$$

이다. 그런데 $g(t) = \dfrac{(f'(t))^2 - 1}{2f'(t)}$**이고** $f'(t) = \cos t + 4$**이므로**

$$\int_{f(0)}^{f(2\pi)} g\big(f^{-1}(x)\big)dx = \int_0^{2\pi} \frac{1}{2}\big((\cos t + 4)^2 - 1\big)dt = \frac{1}{2}\int_0^{2\pi}(\cos^2 t + 8\cos t + 15)dt$$

이고

$$\int_0^{2\pi}\cos^2 t\,dt = \int_0^{2\pi}\frac{\cos 2t + 1}{2}dt = \left[\frac{\sin 2t}{4} + \frac{t}{2}\right]_0^{2\pi} = \pi,$$

$$\int_0^{2\pi}\cos t\,dt = [\sin t]_0^{2\pi} = 0$$

이다. 따라서 $\int_{f(0)}^{f(2\pi)} g\big(f^{-1}(x)\big)dx = \dfrac{1}{2}\int_0^{2\pi}(\cos^2 t + 8\cos t + 15)dt = \dfrac{31\pi}{2}$**이다.**

[문제 3] 그림과 같이 좌표평면 위에 중심이 원점 O이고 반지름의 길이가 1인 원과 x축 위의 점 $A(a, 0)$가 있다. (단, $2 \le a \le 3$) 점 P는 점 $(1, 0)$에서 출발하여, 시각 t가 $0 \le t < \dfrac{\pi}{3}$일 때 $\angle POA = t$를 만족하도록 원 위를 반시계방향으로 움직인다. 점 A와 P를 잇는 직선이 원과 만나는 점 중 P가 아닌 점을 Q라 하자.

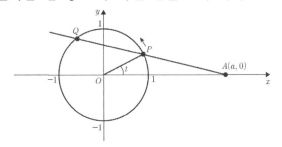

시각 $t = t_0$일 때, 점 Q의 위치는 $(0, 1)$이다. 다음 물음에 답하시오.

(1) $t = t_0$일 때, 점 Q의 속력을 a를 이용하여 나타내시오.

(2) $t = t_0$일 때, 점 Q의 속력이 최대가 되도록 하는 a의 값과 그 때의 점 Q의 속력을 구하시오.

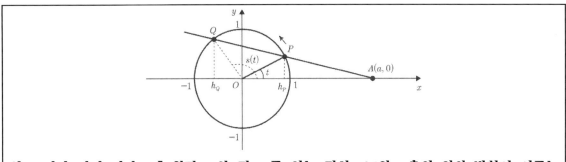

위 그림과 같이 시각 t에 원점 O와 점 Q를 잇는 직선 OQ와 x축의 양의 방향이 이루는

각을 $s(t)$라 하자. Q는 원 위를 움직이므로, Q의 좌표는 $(\cos s(t),\ \sin s(t))$이고, 속력은

$$\sqrt{(\sin^2 s(t)+\cos^2 s(t))\left(\frac{ds}{dt}\right)^2}=\left|\frac{ds}{dt}\right|$$ 이다. 점 Q, P로부터 각각 x축에 내린 수선의 발을 h_Q, h_P라 하면, $\angle QAh_Q=\angle PAh_p$이므로, $\tan(\angle QAh_Q)=\tan(\angle PAh_p)$이고, 다음을 얻는다.

$$\frac{\sin s(t)}{a-\cos s(t)}=\frac{\sin t}{a-\cos t}$$

이를 정리하면 $(a-\cos t)\sin s(t)-\sin t(a-\cos s(t))=0$이고, 음함수의 미분법에 의해

$$\sin t\sin s(t)+(a-\cos t)\cos s(t)\frac{ds}{dt}-\cos t(a-\cos s(t))-\sin t\sin s(t)\frac{ds}{dt}=0$$

점 Q가 점 $(0,\ 1)$을 지날 때, $s(t)=\dfrac{\pi}{2}$이므로 $\sin s(t)=1$, $\cos s(t)=0$이고, $t=t_0$이므로,

이를 위 식에 대입하고 정리하면 $t=t_0$에서 Q의 속력은 $\left|\dfrac{ds}{dt}\right|=\left|1-a\dfrac{\cos t_0}{\sin t_0}\right|$이다.

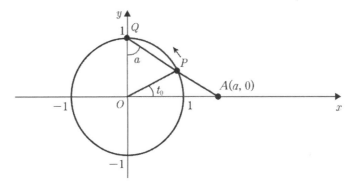

위 그림과 같이 점 Q의 위치가 $(0,\ 1)$인 상황에서 $\angle AQO=\alpha$라 하면, $\tan\alpha=a$이다. 한편, 직선 OQ와 직선 OP의 길이가 같으므로 $\angle QPO=\alpha$이고, $t_0+\dfrac{\pi}{2}=2\alpha$가 성립한다.

따라서, $\dfrac{\cos\left(2\alpha-\dfrac{\pi}{2}\right)}{\sin\left(2\alpha-\dfrac{\pi}{2}\right)}=\dfrac{\sin(2\alpha)}{-\cos(2\alpha)}=-\tan 2\alpha=-\dfrac{2\tan\alpha}{1-\tan^2\alpha}=\dfrac{2a}{a^2-1}$이고,

Q의 속력은 $\left|1-\dfrac{2a^2}{a^2-1}\right|=\left|-1-\dfrac{2}{a^2-1}\right|=1+\dfrac{2}{a^2-1}\ (a\geq 2$이므로 $)$이다.

[문항 (2) 풀이]

$1+\dfrac{2}{a^2-1}$는 $2\leq a\leq 3$에서 감소함수이므로, 점 Q의 속력은 $a=2$일 때 최대이고, 그 값은 $1+\dfrac{2}{3}=\dfrac{5}{3}$이다.

2. 2024학년도 동국대 모의 논술

[문제 1] 곡선 $y=x^2$과 직선 $y=4x$로 둘러싸인 도형을 밑면으로 하고 x축에 수직인 평

면으로 자른 단면이 모두 정사각형인 입체도형이 있다. 이 입체도형을 y축에 수직이며 y 좌표가 4인 평면으로 잘라서 얻어진 두 입체도형 중에서 y좌표가 0이상 4이하인 영역에 속하는 입체도형의 부피를 구하시오.

문제에서 구하고자 하는 입체도형의 밑면을 $y=x^2$, $y=4x$로 둘러싸인 도형 중에서 $0 \leq x \leq 1$인 부분 A와 $y=x^2$, $y=4$, $x=1$ $(1 \leq x \leq 2)$로 둘러싸인 부분 B의 두 부분으로 나눈다. A를 밑면으로 하는 입체 도형은 x축에 수직인 평면으로 자른 단면이 한 변의 길이가 $4x-x^2$인 정사각형이므로 그 부피 V_1은

$$V_1 = \int_0^1 (4x-x^2)^2 dx = \left[\frac{1}{5}x^5 - 2x^4 + \frac{16}{3}x^3 \right]_0^1 = \frac{53}{15}$$

이 된다. B를 밑면으로 하는 입체도형은 x축에 수직인 평면으로 자른 단면이 밑변의 길이가 $4-x^2$이고 높이가 $4x-x^2$인 직사각형이므로 그 부피 V_2는

$$V_2 = \int_1^2 (4-x^2)(4x-x^2) dx = \left[\frac{1}{5}x^5 - x^4 - \frac{4}{3}x^3 + 8x^2 \right]_1^2 = \frac{88}{15}$$

이 된다. 따라서 구하고자 하는 입체도형의 부피 V는 $V = V_1 + V_2 = \frac{47}{5}$이다.

[문제 2] 중심의 x좌표, y좌표, z좌표가 모두 양수인 구 B가 x축과 y축에 각각 접하고 xy평면과 만나서 생기는 원의 넓이가 25π이다. 점 $P(10, 17, 3)$에서 이 xy평면위의 원까지의 거리의 최댓값과 최솟값을 구하고, 최대 및 최소가 되는 원 위의 점 Q, R을 각각 구하시오.

구 B가 xy평면과 만나서 생기는 원의 중심의 좌표는 $(5, 5, 0)$이다. 점 $(10, 17, 3)$에서 이 원 위의 점 $(a, b, 0)$까지 거리의 제곱은 제시문 [나]에 의해 $(a-10)^2 + (b-17)^2 + 9$이고, 여기서 $(a-10)^2 + (b-17)^2$의 최댓값과 최솟값은 xy평면 위의 점 $(10, 17, 0)$에서 주어진 원 위의 점까지 거리의 제곱의 최댓값과 최솟값과 같다. 여기서 점 $(10, 17, 0)$는 점 P의 xy평면에 대한 수선의 발이다. 이 수선의 발 $(10, 17, 0)$에서 이 원의 중심까지의 거리는 13이므로 점 $(10, 17, 0)$에서 이 원까지 거리의 최댓값과 최솟값은 각각 18과 8이다. 따라서, 점 $(10, 17, 3)$에서 이 원까지 거리의 최댓값과 최솟값은 각각 $3\sqrt{37}$와 $\sqrt{73}$이다.

그리고, 최대와 최소가 되는 점은 원의 중심 $(5, 5, 0)$에서 점 $(10, 17, 0)$을 지나는 직선이 이 원과 만나는 두 점 중 점 $(10, 17, 0)$에서 각각 먼 점과 가까운 점이다. 이 직선의 방정식은 xy평면에 있고

$$(z=0), \quad y-5 = \frac{12}{5}(x-5)$$

이다. 이 직선이 원

$$(x-5)^2 + (y-5)^2 = 25$$

과 만나는 점을 구하기 위해 대입하면

$$25 = (x-5)^2 + \frac{144}{25}(x-5)^2 = \frac{169}{25}(x-5)^2$$

$$x = 5 \pm \frac{25}{13}, \quad y = 5 \pm \frac{60}{13} \text{ (부호순서같음)}$$

이므로, 최대가 되는 점은 $Q\left(\frac{40}{13}, \frac{5}{13}, 0\right)$ **이고, 최소가 되는 점은** $R\left(\frac{90}{13}, \frac{125}{13}, 0\right)$ **이다.**

[문제 3] 윷놀이의 한 시행은 총 4개의 윷가락(혹은 윷짝)들을 동시에 던지는 것이고, 각 윷가락은 아래 그림의 (ㄱ)과 같이 높이 10 cm, 반지름이 1 cm인 원통의 윗단면인 그림 (ㄴ)의 원 O에서 현 AB를 따라 원통을 수직으로 절단해서 4개의 윷가락들을 만들었다고 가정하자.

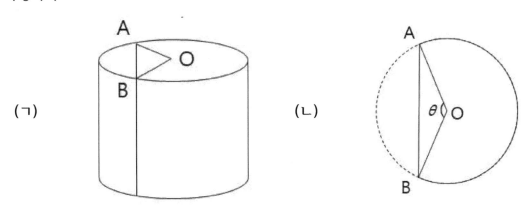

이렇게 제작된 4개의 윷가락들로 총 1000번의 시행으로 나타날 수 있는 결과는 다음과 같다.

결과	정의	빈도
도	4 개의 윷가락 중 1개는 배, 3 개는 등	110
개	4 개의 윷가락 중 2개는 배, 2 개는 등	311
걸	4 개의 윷가락 중 3개는 배, 1 개만 등	384
윷	4 개의 윷가락 중 4개 모두 배	179
모	4 개의 윷가락 중 4개 모두 등	16

다음 규칙에 따라 현 AB의 길이 d를 $\angle AOB = \theta$의 식으로 표현하라.

① 윷가락을 던졌을 때 반드시 등 또는 배가 위로 나타난다. 즉, 윗 단면이나 아랫 단면이 위로 나오는 결과의 확률은 0이다.

② 윷가락의 배와 등이 나타나는 확률은 각각 둥근 면과 평평한 면의 겉면적에 비례한다.

③ 각 윷가락은 확률 p로 현 AB의 수직 절단 면인 배(평평한 면)가 위로 나타나거나, 확률 $1-p$로 등(둥근 면)이 위로 나타나며, 서로 독립적으로 결과가 나타난다. 즉, 어느 하나의 윷가락의 결과가 다른 윷가락의 결과에 영향을 미치지 않는다.

④ $\angle AOB < \pi$이다.

[1단계]

4개의 윷가락들을 던져 나온 배(평평한 면)의 수를 X라 하면 문제에서 주어진 1000번의 시행의 결과를 통해 평평한 면이 나온 횟수는 다음과 같다.

결과	X	X의 빈도
도	1	$110 \times 1 = 110$
개	2	$311 \times 2 = 622$
걸	3	$384 \times 3 = 1152$
윷	4	$179 \times 4 = 716$
모	0	$16 \times 0 = 0$

[2단계]

위 결과를 이용해서 한 윷가락의 평평한 면(사건 A)이 나타날 통계적 확률 p'은 다음과 같이 계산된다.

$$p' = \frac{110 + 622 + 1152 + 716}{4 \times 1000} = \frac{2600}{4000} = 0.65$$

[3단계]

제시문 [다]에 의해 시행의 횟수 $n = 4 \times 1000$가 크므로 통계적 확률 p'과 수학적 확률 p는 같다.

[4단계]

한편 각 윷가락에서 배가 위로 나타날 확률은 중심각 $2\pi - \theta$를 갖는 부채꼴 OAB가 단면인 기둥에서 호 AB에 해당하는 기둥의 면적인 $10(2\pi - \theta)$이고, 등이 위로 나타날 확률은 현 AB의 수직 단면적의 넓이인 $10d$이다.

[5단계]

이를 이용해서 다음의 비례식을 세울 수 있다.

$$0.35 : 0.65 = 10d : 10(2\pi - \theta)$$
$$\Leftrightarrow d = \frac{7}{13}(2\pi - \theta)$$

[6단계]

따라서, 현 AB의 길이 d는 $\frac{7}{13}(2\pi - \theta)$cm이다.

3. 2023학년도 동국대 수시 논술

[문제 1] 그림과 같이 단면이 포물선 모양인 거울 $y^2 = 4x(0 \le x \le 4)$의 초점 $F(1, 0)$에서 쏜 빛이 포물선 위의 점 $G(2, 2\sqrt{2})$에 반사되어 직진한다. 또한, 이 빛은 단면이 쌍곡선 모양인 거울 $\frac{x^2}{18} - \frac{y^2}{4} = 1 \ (3\sqrt{2} \le x \le 9)$ 위의 점 P에 반사되어 직진한다. 이때, 직선 l은 단면이 쌍곡선 모양인 거울 $\frac{x^2}{18} - \frac{y^2}{4} = 1 \ (3\sqrt{2} \le x \le 9)$ 위의 점 P에 반사되어 직진한다.

이때, 직선 l은 단면이 쌍곡선 모양인 거울 $\frac{x^2}{18} - \frac{y^2}{4} = 1$ 위의 점 P에서의 접선이고, 빛이 점 P에서 반사되기 전과 후 직선 l과 이루는 각의 크기 α와 β는 같다. 다음 물음에 답하시오.

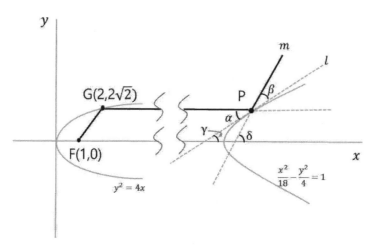

(1) 직선 l의 x절편을 구하시오.

(2) 직선 l과 x축이 이루는 예각 γ의 크기를 구하시오.

(3) 반사된 후 빛이 지나가는 반직선의 연장선 m이 y축과 이루는 예각 δ의 크기를 구하시오.

---

① 포물선의 초점 F(1, 0)에서 점 G(2, $2\sqrt{2}$)에 부딪쳐 진행하는 빛은 제시문 【나】에 의해 x축과 평행하게 진행한다. 따라서, 이 빛이 쌍곡선과 만나는 점 P는 $(3\sqrt{6}, 2\sqrt{2})$이다. 이 점에서 쌍곡선의 접선 l은 제시문 [다]에 의해

$$\frac{3\sqrt{6}\,x}{18} - \frac{2\sqrt{2}\,y}{4} = 1$$

이고, l의 x절편은 $\sqrt{6}$이다.

② 접선의 방정식은

$$y = \frac{1}{\sqrt{3}}x - \sqrt{2}$$

이고, $\tan\gamma = \dfrac{1}{\sqrt{3}}$ 이므로 $\gamma = \dfrac{\pi}{6}$ 이다.

③ 점 P에 반사되기 전 빛의 직진방향은 x축과 평행하고, 이 빛의 방향과 접선 l이 이루는 각 α는 접선 l이 x축 과 이루는 각 γ와 엇각 $\dfrac{\pi}{6}$로 같다. 또한, 각 α는 각 β와 같으므로 이 각 β는 $\dfrac{\pi}{6}$이다. 그런데, 반사되기 전 빛과 x축이 평행하므로 직선 m과 이루는 각 δ는 각 $\beta+\gamma$와 동위각으로 같다. 따라서, 점 P에 반사된 빛의 직진방향이 x축과 이루는 각 δ는 $\dfrac{\pi}{6}+\dfrac{\pi}{6}=\dfrac{\pi}{3}$이다.

[문제 2] 이산확률변수 X의 확률질량함수 $P(X)$가 다음과 같이 정의되었다고 가정할 때, $\lim\limits_{n \to \infty} E(X)$와 $\lim\limits_{n \to \infty} V(X)$를 구하시오.

---

① $P(X=x_i)=\dfrac{g(x_i)}{\sum\limits_{j=1}^{n} g(x_j)}\ (i=1,\ 2,\ 3,\ \cdots,\ n)$

② $g(x)=e^{-ax}$ **(단, $e=\lim\limits_{x \to 0}(1+x)^{\frac{1}{x}}$ 이다. a는 상수이고, $a>0$이다.)**

③ $\Delta x=\dfrac{1}{n},\ x_i=i\Delta x\ (i=1,\ 2,\ 3,\ \cdots,\ n)$

[1단계]

제시문 [가]에 의해 $E(X)=\sum\limits_{i=1}^{n} x_i P(X=x_i)=\sum\limits_{i=1}^{n} x_i \dfrac{g(x_i)}{\sum\limits_{j=1}^{n} g(x_j)}=\dfrac{\sum\limits_{i=1}^{n} x_i g(x_i)}{\sum\limits_{j=1}^{n} g(x_j)}$

제시문 [나]를 활용하면 연속인 함수 $h(x)=xg(x)$와 $g(x)$에 대해 다음이 성립한다.

$$\lim_{n \to \infty}\sum_{i=1}^{n} h(x_i)\Delta x=\int_0^1 h(x)dx=\int_0^1 xe^{-ax}dx$$

$$\lim_{n \to \infty}\sum_{j=1}^{n} g(x_j)\Delta x=\int_0^1 g(x)dx=\int_0^1 e^{-ax}dx$$

즉, 두 급수는 닫힌구간 $[0,\ 1]$에서 연속인 함수의 정적분으로 표현될 수 있고, 이는 함수 $h(x)\geq 0$(또는 $g(x)>0$), x축, 직선 $x=0$과 직선 $x=1$로 둘러싸인 넓이이므로 두 급수 모두 0보다 큰 값으로 수렴한다.

따라서, $E(X)$의 극한은 제시문 [다]에 의해 다음과 같이 나타낸다.

$$\lim_{n \to \infty} E(X)=\lim_{n \to \infty}\dfrac{\sum\limits_{i=1}^{n} h(x_i)\Delta x}{\sum\limits_{j=1}^{n} g(x_j)\Delta x}=\dfrac{\lim\limits_{n \to \infty}\sum\limits_{i=1}^{n} h(x_i)\Delta x}{\lim\limits_{n \to \infty}\sum\limits_{j=1}^{n} g(x_j)\Delta x}=\dfrac{\int_0^1 h(x)dx}{\int_0^1 g(x)dx}$$

$$=\dfrac{a\int_0^1 xe^{-ax}dx}{a\int_0^1 e^{-ax}dx}=\dfrac{\int_0^1 axe^{-ax}dx}{1-e^{-a}}$$

[2단계]
위 정적분은 다음과 같이 부분적분법을 활용하여 구한다.

$$\lim_{n \to \infty} \mathrm{E}(X) = \frac{1}{1-e^{-a}} \int_0^1 axe^{-ax}dx = \frac{1}{1-e^{-a}}\left\{ \left[-xe^{-ax}\right]_0^1 - \int_0^1 (-e^{-ax})dx \right\}$$

$$= \frac{1}{1-e^{-a}}\left\{ -e^{-a} - \frac{1}{a}(e^{-a}-1) \right\}$$

$$= \frac{1}{a} - \frac{e^{-a}}{1-e^{-a}}$$

[4단계]

제시문 【가】에 의해 $\mathrm{V}(X) = \mathrm{E}(X^2) - \{\mathrm{E}(X)\}^2$ 이다.

먼저 $\mathrm{E}(X^2)$은 다음과 같이 표현한다.

$$\mathrm{E}(X^2) = \sum_{i=1}^n x_i^2 P(X=x_i) = \sum_{i=1}^n x_i^2 \frac{g(x_i)}{\displaystyle\sum_{j=1}^n g(x_j)} = \frac{\displaystyle\sum_{i=1}^n x_i^2 g(x_i)}{\displaystyle\sum_{j=1}^n g(x_j)}$$

위 $\mathrm{E}(X)$를 구하는 과정과 유사하게 $f(x) = x^2 g(x)$라 하면

$$\lim_{n \to \infty} \sum_{i=1}^n f(x_i)\Delta x = \int_0^1 f(x)dx = \int_0^1 x^2 e^{-ax}dx$$

이고 이 급수는 0보다 큰 값으로 수렴한다.

따라서, $\displaystyle\lim_{n \to \infty} \mathrm{E}(X^2)$는 다음과 같이 구한다.

$$\lim_{n \to \infty} \mathrm{E}(X^2) = \lim_{n \to \infty} \frac{\displaystyle\sum_{i=1}^n f(x_i)\Delta x}{\displaystyle\sum_{j=1}^n g(x_j)\Delta x} = \frac{\displaystyle\lim_{n \to \infty}\sum_{i=1}^n f(x_i)\Delta x}{\displaystyle\lim_{n \to \infty}\sum_{j=1}^n g(x_j)\Delta x} = \frac{\displaystyle\int_0^1 ax^2 e^{-ax}dx}{1-e^{-a}}$$

[4단계]

$\displaystyle\lim_{n \to \infty} \mathrm{E}(X^2)$는 부분적분법을 활용하여 다음과 같이 나타낸다.

$$\lim_{n \to \infty} \mathrm{E}(X^2) = \frac{1}{1-e^{-a}} \int_0^1 ax^2 e^{-ax}dx$$

$$= \frac{1}{1-e^{-a}}\left\{ \left[-x^2 e^{-ax}\right]_0^1 - \int_0^1 (-2xe^{-ax})dx \right\}$$

$$= -\frac{e^{-a}}{1-e^{-a}} + \frac{2}{a}\left\{ \frac{1}{a} - \frac{e^{-a}}{1-e^{-a}} \right\}$$

[5단계]

앞에서 구한 $\displaystyle\lim_{n \to \infty} \mathrm{E}(X)$를 이용하고 제시문 【다】를 적용하면

$$\lim_{n \to \infty} \{\mathrm{E}(X)\}^2 = \left\{ \frac{1}{a} - \frac{e^{-a}}{1-e^{-a}} \right\}^2$$

[6단계]

앞에서 구한 $\lim_{n \to \infty} V(X)$는 다음과 같이 나타낸다.

$$\lim_{n \to \infty} V(X) = \lim_{n \to \infty} E(X^2) - \lim_{n \to \infty} \{E(X)\}^2$$

$$= -\frac{e^{-a}}{1-e^{-a}} + \frac{2}{a}\left\{\frac{1}{a} - \frac{e^{-a}}{1-e^{-a}}\right\} - \left\{\frac{1}{a} - \frac{e^{-a}}{1-e^{-a}}\right\}^2$$

$$= \frac{1}{a^2} - \frac{e^{-a}}{1-e^{-a}}\left\{1 + \frac{e^{-a}}{1-e^{-a}}\right\} = \frac{1}{a^2} - \frac{e^{-a}}{(1-e^{-a})^2}$$

[문제 3] 시각 $t=0$일 때 좌표평면 상의 원점 O에서 (a, b)의 속도로 쏘아올린 물체 M은 다음과 같은 규칙에 따라 움직인다. (단, a와 b는 상수이고, $a>0$, $b>0$이다.)

■ M은 크기를 무시할 수 있을 만큼 아주 작으며, 시각 t에서 M의 위치가 함수 $x=x(t)$, $y=y(t)$로 나타내어질 때 항상 $x(t) \geq 0$, $y(t) \geq 0$이다.

■ $y(t)>0$인 시각 $t>0$에서는 항상 M의 가속도는 $(0, -g)$이다. (단, g는 상수이고, $g>0$이 다.)

■ M이 x축에 충돌하는 시각을 순서대로
$t=t_1, t_2, \cdots (0<t_1<t_2<\cdots)$라 할 때, 각각의 충돌 시각 $t=t_n$에 대해 충돌 전후 M의 속도의 x성분은 변화가 없고, 충돌 직후 M의 속도의 y성분은 충돌 직전 M의 속도의 y성분의 $-\frac{1}{2}$배이다.

(1) $\lim_{n \to \infty} t_n$의 값을 구하시오.

(2) M이 그리는 곡선과 x축으로 둘러싸인 도형의 넓이를 구하시오.

(3) 위 (2)번에서 기술한 도형을 밑면으로 하고 x축에 수직인 평면으로 자른 단면이 모두 정사각형인 입체도형의 부피를 구하시오.

(1) 시각 $t=0$일 때 원점 O에서 물체 M의 속도의 x성분은 a이고 $y(t)>0$인 시각 $t>0$에서 $x''(t)=0$이므로 이를 적분하면 $0 \leq t \leq t_1$일 때 $x'(t)=a$이다. 충돌 시각 $t=t_1$에 대해 충돌 전후 M의 속도의 x성분은 변화가 없다는 조건에 의해 $t_1 \leq t \leq t_2$일 때에도 $x'(t)=a$이므로 이를 반복적으로 적용하면 모든 시각 $t \geq 0$에 대해 $x'(t)=a$, 즉 $x(t)=at$가 된다.

시각 $t=0$일 때 원점 O에서 M의 속도의 y성분은 b이고 $y(t)>0$인 시각 $t>0$에서 $y''(t)=-g$이므로 이를 적분하면 $0 \leq t \leq t_1$일 때 $y'(t)=b-gt$가 되고 이를 다시 적분하면 $y(t)=bt - \frac{1}{2}gt^2$을 얻는다. 여기서 $y(t_1)=0$을 계산하면 $t_1 = \frac{2b}{g}$를 얻고, 시각 $t=t_1$일 때 x축에 충돌 직전의 속도는 $\lim_{t \to t_1-} y'(t) = -b$가 된다.

이와 유사한 방법으로 계산하면 $t_2 - t_1 = \frac{b}{g}$, $t_3 - t_2 = \frac{b}{2g}$, $\cdots$을 얻게 되어 귀납적 추론

에 의해 $t_1 = \dfrac{2b}{g}$, $t_2 - t_1 = \dfrac{b}{g}$, $t_3 - t_2 = \dfrac{b}{2g}$, $\cdots$, 즉 첫째항이 $\dfrac{2b}{g}$이고 공비가 $\dfrac{1}{2}$인 등비수열임을 알 수 있다. 따라서

$$\lim_{n \to \infty} t_n = \frac{2b}{g} + \frac{b}{g} + \frac{b}{2g} + \cdots = \frac{2b}{g} \cdot \frac{1}{1 - \dfrac{1}{2}} = \frac{4b}{g}$$

이다.

(2) 위 (1)번 계산으로부터 $0 \leq t \leq t_1$일 때 $x = x(t) = at$, $y = y(t) = bt - \dfrac{1}{2}gt^2$이다. 이제 $y = bt - \dfrac{1}{2}gt^2$에 $t = \dfrac{x}{a}$를 대입하면 $0 \leq t \leq t_1$인 동안에 M이 그리는 곡선의 방정식은

$$y = \frac{b}{a}x - \frac{g}{2a^2}x^2 \qquad \left(0 \leq x \leq \frac{2ab}{g}\right)$$

가 되고 이 곡선과 x축으로 둘러싸인 도형의 넓이 A_1은

$$A_1 = \int_0^{\frac{2ab}{g}} \left(\frac{b}{a}x - \frac{g}{2a^2}x^2\right)dx = \left[\frac{b}{2a}x^2 - \frac{g}{6a^2}x^3\right]_0^{\frac{2ab}{g}} = \frac{2ab^3}{3g^2}$$

이 된다.

이와 유사한 방법으로 계산하면 $t_1 \leq t \leq t_2$인 동안 M이 그리는 곡선과 x축으로 둘러싸인 도형의 넓이 A_2는 $A_2 = \dfrac{1}{8} \cdot \dfrac{2ab^3}{3g^2}$이 되고, $t_2 \leq t \leq t_3$인 동안 M이 그리는 곡선과 x축으로 둘러싸인 도형의 넓이 A_3는 $A_3 = \dfrac{1}{8^2} \cdot \dfrac{2ab^3}{3g^2}$, $\cdots$을 얻게 된다. 이 과정을 반복하면 귀납적 추론에 의해 수열 $\{A_n\}$은 첫째항이 $\dfrac{2ab^3}{3g^2}$이고 공비가 $\dfrac{1}{8}$인 등비수열을 이룬다는 것을 알 수 있고 따라서 구하고자 하는 도형의 넓이는

$$\sum_{n=1}^{\infty} A_n = \frac{2ab^3}{3g^2} + \frac{1}{8} \cdot \frac{2ab^3}{3g^2} + \frac{1}{8^2} \cdot \frac{2ab^3}{3g^2} + \cdots = \frac{2ab^3}{3g^2} \cdot \frac{1}{1 - \dfrac{1}{8}} = \frac{16ab^3}{21g^2}$$

이 된다.

③ 위 ②번의 풀이에서 $0 \leq t \leq t_1$인 동안 M이 그리는 곡선의 방정식은 $y = \dfrac{b}{a}x - \dfrac{g}{2a^2}x^2 \left(0 \leq x \leq \dfrac{2ab}{g}\right)$가 됨을 구하였다. 이제 이 곡선과 x축으로 둘러싸인 도형을 밑면으로 하고 x축에 수직인 평면으로 자른 단면이 모두 정사각형인 입체도형의 부피 V_1은

$$V_1 = \int_0^{\frac{2ab}{g}} \left(\frac{b}{a}x - \frac{g}{2a^2}x^2\right)^2 dx = \left[\frac{g^2}{20a^4}x^5 - \frac{bg}{4a^3}x^4 + \frac{b^2}{3a^2}x^3\right]_0^{\frac{2ab}{g}} = \frac{4ab^5}{15g^3}$$

이 된다.

이와 유사한 방법으로 계산하면 $t_1 \leq t \leq t_2$인 동안 M이 그리는 곡선과 x축으로 둘러싸인 도형을 밑면으로 하고 x축에 수직인 평면으로 자른 단면이 모두 정사각형인 입체도형의 부피 V_2는 $V_2 = \dfrac{1}{32} \cdot \dfrac{4ab^5}{15g^3}$이 되고, $t_2 \leq t \leq t_3$인 동안 M이 그리는 곡선과 x축으로 둘러싸인 도형을 밑면으로 하고 x축에 수직인 평면으로 자른 단 면이 모두 정사각형인 입체도형의 부피 V_3는 $V_3 = \dfrac{1}{32^2} \cdot \dfrac{4ab^5}{15g^3}$, $\cdots$을 얻게 된다. 이 과정을 반복하면 귀납적 추론에 의해 수열 $\{V_n\}$은 첫째항이 $\dfrac{4ab^5}{15g^3}$이고 공비가 $\dfrac{1}{32}$인 등비수열을 이룬다는 것을 알 수 있고 따라서 구하고 자 하는 입체도형의 부피는

$$\sum_{n=1}^{\infty} V_n = \frac{4ab^5}{15g^3} + \frac{1}{32} \cdot \frac{4ab^5}{15g^3} + \frac{1}{32^2} \cdot \frac{4ab^5}{15g^3} + \cdots = \frac{4ab^5}{15g^3} \cdot \frac{1}{1 - \dfrac{1}{32}} = \frac{128ab^5}{465g^3}$$

이 된다.

4. 2023학년도 동국대 모의 논술

[문제 1] 원에 내접하는 사각형 ABCD 의 네 변의 길이의 합이 22이고, $\angle A = 60°$, $\overline{BD} = 8$ 일 때, $\overline{CB} + \overline{CD}$ 의 범위를 구하라. 그리고, 사각형 ABCD의 넓이가 최대가 될 때 $\overline{CB} + \overline{CD}$의 길이를 구하라.

$a = \overline{AB}$, $b = \overline{AD}$, $c = \overline{CB}$, $d = \overline{CD}$라고 하자.

사각형 ABCD가 원에 내접하므로 제시문 [라]에 의해 $\angle C = 120°$ 이고, 제시문 [가]의 코사인 법칙에 의해

$$a^2 + b^2 - ab = 64, \quad c^2 + d^2 + cd = 64$$

이다.

ab, cd를 각각 $a + b$와 $c + d$에 대한 식으로 변형하면

$$ab = \frac{(a+b)^2 - 64}{3}, \quad cd = (c+d)^2 - 64$$

이다. 네 변의 길이의 합이 22이므로, $c + d = x$라고 하면

$$ab = \frac{(22-x)^2 - 64}{3}, \quad cd = x^2 - 64$$

로 표현할 수 있다.

a, b는 근과 계수와의 관계에 의해 이차 함수 $x^2 - (a+b)x + ab = 0$의 근이 된다. a, b가 양수이므로

$$a + b = 22 - x > 0, \quad ab = \frac{(22-x)^2 - 64}{3} > 0$$

105

$$(a+b)^2 - 4ab = \frac{-(22-x)^2 + 256}{3} \geq 0$$

이고 x의 범위는 $6 \leq x < 14$이다.

마찬가지로 두 양수 c, d가 존재하기 위한 조건은

$$c + d = x > 0, \quad cd = x^2 - 64 > 0, \quad (c+d)^2 - 4cd = -3x^2 + 256 \geq 0$$

이므로 x의 범위는 $8 < x \leq \frac{16}{3}\sqrt{3}$이다. 따라서, 위의 두 결과를 종합하면 x의 범위는

$8 < x \leq \frac{16}{3}\sqrt{3}$이다

한편 사각형 ABCD의 넓이 S는 삼각형 ABD와 삼각형 CBD의 넓이의 합이므로 제시문 [나]에 의해

$$S = \frac{1}{2}ab\sin A + \frac{1}{2}cd\sin C = \frac{\sqrt{3}}{4}(ab + cd)$$

이다. ab, cd를 x로 표현한 식을 대입해서 정리하면

$$S = \frac{\sqrt{3}}{4}\left(\frac{(22-x)^2 - 64}{3} + x^2 - 64\right) = \frac{\sqrt{3}}{3}(x^2 - 11x + 57)$$

$$= \frac{\sqrt{3}}{3}\left(x - \frac{11}{2}\right)^2 + \frac{107}{12}\sqrt{3}$$

이다. 따라서 사각형의 면적이 최대가 될 때 $x = \overline{CB} + \overline{CD}$의 값은 제시문 [다]에 의해 $\frac{16}{3}\sqrt{3}$이다.

[문제 2] 좌표평면 상에서 움직이는 크기를 무시할 수 있는 아주 작은 물체가 $y \geq 0$인 부분에서는 1의 일정한 속력으로 이동하고, $y < 0$인 부분에서는 2의 일정한 속력으로 이동하는 성질을 가지고 있다고 하자. 그 물체가 점 $A(0, \sqrt{7})$에서 점 $B(2, -1)$까지 이동하는 데 걸리는 최소 시간을 구하시오.

[첫 번째 풀이]

최소 시간이 걸리는 경로가 x축과 만나는 점을 $P(x, 0)$이라 두면 $0 \leq x \leq 2$가 되어야 하고, 최소 시간은

$$\sqrt{x^2 + 7} + \frac{1}{2}\sqrt{(2-x)^2 + 1}$$

이 된다. 굴절의 법칙은 이동 시간이 최소가 되는 경로를 따라 이동한다는 것을 이용하여 증명이 되므로 우리의 문제에도 적용할 수 있다. 입사각 θ_1, 굴절각 θ_2에 대해

$$\sin\theta_1 = \frac{x}{\sqrt{x^2 + 7}}, \quad \sin\theta_2 = \frac{2-x}{\sqrt{(2-x)^2 + 1}}$$

이므로 굴절의 법칙에 의해

$$\frac{x}{\sqrt{x^2 + 7}} = \frac{2-x}{2\sqrt{(2-x)^2 + 1}}$$

이 되어 $0 \le x \le 2$가 된다. 양변을 제곱하면

$$4x^2((x-2)^2+1)=(x-2)^2(x^2+7) \Leftrightarrow 3x^4-12x^3+9x^2+28x-28=0$$

이다. 이 4차방정식은 $x=1$을 해로 가지므로 다음과 같이 $x-1$로 묶어진다.

$$(x-1)(3x^3-9x^2+28)=0$$

이제 $g(x)=3x^3-9x^2+28$로 두면 $g'(x)=9x^2-18x=9x(x-2), g(0)=28, \ g(2)=16$이므로 방정식 $g(x)=0$는 $0 \le x \le 2$에서 해를 갖지 않는다. 따라서, $x=1$이 굴절의 법칙을 만족시키는 유일한 해 이고, 이때 걸리는 최소 시간은 $\dfrac{5}{2}\sqrt{2}$이다.

[두 번째 풀이]

물체가 x축과 만나는 점을 P$(x,\,0)$이라 두면 점 A에서 점 P까지는 선분 $\overline{\mathrm{AP}}$를 따라 일정한 속력 1로, 점 P를 떠나 점 B까지는 선분 $\overline{\mathrm{PB}}$를 따라 일정한 속력 2로 움직여야 한다. 이때 걸린 총 시간을 $f(x)$라 두면

$$f(x)=\sqrt{x^2+7}+\frac{1}{2}\sqrt{(2-x)^2+1}$$

이 된다. 최소 시간을 구하기 위해 $f'(x)=0$을 풀면

$$f'(x)=\frac{x}{\sqrt{x^2+7}}-\frac{2-x}{2\sqrt{(2-x)^2+1}}=0$$
$$2x\sqrt{(2-x)^2+1}=(2-x)\sqrt{x^2+7}$$

이여야 하므로 $0 \le x \le 2$이다. 양변을 제곱하면

$$4x^2((x-2)^2+1)=(x-2)^2(x^2+7) \Leftrightarrow 3x^4-12x^3+9x^2+28x-28=0$$

이다. 이 4차방정식은 $x=1$을 해로 가지므로 다음과 같이 $x-1$로 묶어진다.

$$(x-1)(3x^3-9x^2+28)=0$$

이제 $g(x)=3x^3-9x^2+28$로 두면 $g'(x)=9x^2-18x=9x(x-2), g(0)=28, \ g(2)=16$이므로 방정식 $g(x)=0$는 $0 \le x \le 2$에서 해를 갖지 않는다. $f'(x)$는 연속이고 $f'(1)=0$이므로 $x=1$이 $f'(x)=0$의 유일한 해이다. 이제 $x=1$의 좌우에서 $f'(x)$의 부호를 구하면 $f'(0)<0, \ f'(2)>0$이므로 $f(x)$는 $x=1$에서 극소이다. 따라서 최소 시간이 될 x는 $x=1$이고 이때 걸리는 최소 시간은 $f(1)=\dfrac{5}{2}\sqrt{2}$이다.

[문제 3] 수직선 위를 움직이는 두 점 P , Q의 시각 $t \ge 0$에서의 위치를 각각 x, y 라고 하면 $x=2\cos^2 t$, $y=\dfrac{5}{4}c-c\sin t\,(c>0)$이다. 두 점 P , Q는 1회 이상 만나고, 만날 때마다 두 점의 속도가 일치한다고 하자. 양수 c값을 정하고 두 점 P 와 Q 사이 거리가 시각 $t=0$ 이후 처음으로 최대가 되는 시각 t와 이때 점 Q의 속도 및 가속도를 각각 구하여

[1단계] 두 점 P, Q가 1회 이상 만나고, 만날 때 마다 두 점의 속도가 일치 하므로 두 방정식

107

$$2\cos^2 t = x = y = \frac{5}{4}c - c\sin t, \quad -4\cos t \sin t = \frac{dx}{dt} = \frac{dy}{dt} = -c\cos t$$

를 동시에 만족하는 $t \geq 0$가 하나 이상 있어야 한다.

[2단계] 위에서 얻은 두 방정식 중 두 번째 방정식을 정리하면

$$\cos t\,(4\sin t - c) = 0$$

이다. $\cos t = 0$일 때 첫 번째 방정식에서

$$0 = c\left(\frac{5}{4} - \sin t\right)$$

인데 $c > 0$, $\frac{5}{4} - \sin t > \frac{1}{4}$이므로 $\cos t = 0$인 경우는 두 방정식을 동시에 만족할 수 없다.

$4\sin t - c = 0$일 때에는 첫 번째 방정식에서부터

$$2\left(1 - \frac{c^2}{16}\right) = 2(1 - \sin^2 t) = 2\cos^2 t = \frac{5}{4}c - c\sin t = \frac{5}{4}c - \frac{c^2}{4}$$

즉 c에 대한 2차 방정식을 얻을 수 있다. 이를 정리하여 인수분해하면 $(c-2)(c-8) = 0$이 므로 c는 2또는 8이고 $\frac{c}{4} = \sin t \leq 1$에서 $c = 2$임을 알 수 있다. 또한 $\sin t = \frac{c}{4} = \frac{1}{2}$인 모든 $t \geq 0$에서 두 점 P, Q가 만나는 것을 알 수 있다.

[3단계] 두 점 P, Q사이 거리 $D(t)$는

$$D(t) = \left|\frac{5}{2} - 2\sin t - 2\cos^2 t\right| = \left|2\left(\sin t - \frac{1}{2}\right)^2\right| = 2\left(\sin t - \frac{1}{2}\right)^2$$

이다. 이를 시각 t에 대해 미분하면 $D'(t) = 4\left(\sin t - \frac{1}{2}\right)\cos t$이므로 극값은 $\sin t = \frac{1}{2}$을 만 족할 때와 $\cos t = 0$을 만족할 때 나오는데 $\sin t = \frac{1}{2}$일 때에는 두 점이 만나므로 극소이다. $\cos t = 0$,

즉 $t = \left(n - \frac{1}{2}\right)\pi$, $n = 1,\ 2,\ 3,\ \cdots$이면

$$D\left(\frac{\pi}{2}\right) = 2\left(1 - \frac{1}{2}\right)^2 = \frac{1}{2}, \quad D\left(\frac{3\pi}{2}\right) = 2\left(-1 - \frac{1}{2}\right)^2 = \frac{9}{2}, \quad D\left(\frac{5\pi}{2}\right) = \frac{1}{2}, \quad D\left(\frac{7\pi}{2}\right) = \frac{9}{2},\ \cdots$$

가 반복되어 나타나므로 두 점 P, Q사이 거리의 최댓값은 $\frac{9}{2}$, 최초로 최댓값을 가지는 시간은 $t = \frac{3}{2}\pi$이다.

[4단계] $y' = -2\cos t$, $y'' = 2\sin t$이므로 시각 $t = \frac{3}{2}\pi$에서 점 Q의 속도와 가속도는 각각

$$-2\cos\frac{3\pi}{2} = 0, \quad 2\sin\frac{3\pi}{2} = -2$$이다

라.

5. 2022학년도 동국대 수시 논술

[문제 1] 실수 전체에서 도함수와 이계도함수가 존재하는 함수 f가 모든 실수 x, y에 대하여

$$f(x+y)-f(x-y)=2f(y)f'(x),\ f(0)=0,\ f(1)=a\,(a>0)$$

를 만족한다고 하자. 이 때, $f'(0)$, $f''(0)$, $\displaystyle\int_0^2 f(x)dx$를 각각 구하시오.

모든 실수 x,y에 대해 만족하는 다음 식
$$f(x+y)-f(x-y)=2f(y)f'(x)$$
을 식(1) 이라고 하자.

[1단계]

식 (1)을 0이 아닌 실수 y로 나누고 $f(0)=0$임을 이용하면
$$\frac{f(x+y)-f(x-y)}{2y}=\frac{f(y)-f(0)}{y}f'(x)$$
이다. y가 0으로 가까이 가면
$$\lim_{y\to 0}\frac{f(x+y)-f(x-y)}{2y}=\lim_{y\to 0}\frac{f(y)-f(0)}{y}f'(x)$$
미분계수의 정의에 의해
$$f'(x)=f'(0)f'(x)$$
이므로 $f'(0)=1$ 또는 $f'(x)$는 상수함수 0이다. $f(0)=0$이고 $f(1)=a>0$이므로 $f'(x)$는 상수함수 0이 될 수 없다. 따라서 $f'(0)=1$이다.

[2단계]

식 (1)에 $x=0$을 대입하면 $f(y)=-f(-y)$를 유도할 수 있고, 양변을 y에 관하여 미분하면 $f'(y)=f'(-y)$를 얻는다. 식 (1)에 $y=1$을 대입하면
$$f(x+1)-f(x-1)=2f(1)f'(x)$$
$f(1)=a$을 대입하고 위 식을 x에 대하여 미분하면
$$f'(x+1)-f'(x-1)=2af''(x)$$
이다. $x=0$을 대입하고 $f'(y)=f'(-y)$임을 이용하면,
$$2af''(0)=f'(1)-f'(-1)=0$$
이므로 $f''(0)=0$이다.

[3단계]

식 (1)에서 $y=x$를 대입하면 모든 실수 x에 대해 $f(2x)=2f(x)f'(x)$이고
$$\int_0^2 f(x)dx=\int_0^1 2f(2t)dt=\int_0^1 4f(t)f'(t)dt$$
$$=\left[2\{f(t)\}^2\right]_0^1=2(\{f(1)\}^2-\{f(0)\}^2)=2a^2$$
을 유도할 수 있다

[2단계 다른 풀이] 식 (1)에 x 대신 $x+h\,(h\neq 0)$를 대입하면
$$f(x+h+y)-f(x+h-y)=2f(y)f'(x+h)$$

이고 이 식에서 식(1)을 빼면

$$f(x+h+y)-f(x+y)-(f(x+h-y)-f(x-y))=2f(y)(f'(x+h)-f'(x))$$

이다. 양변을 h로 나누고 h가 0으로 갈 때의 극한을 구하면

$$\lim_{h\to 0}\frac{f(x+h+y)-f(x+y)}{h}-\lim_{h\to 0}\frac{f(x-h+y)-f(x-y)}{h}$$

$$=2f(y)\lim_{h\to 0}\frac{f'(x+h)-f'(x)}{h}$$

이므로 도함수와 이계도함수의 정의에 의해

$$f'(x+y)-f'(x-y)=2f(y)f''(x)$$

이다. $x=0$, $y=1$ 을 대입하고 $f'(y)=f'(-y)$임을 이용하면

$$2af''(0)=f'(1)-f'(-1)=0$$

이므로 $f''(0)=0$이다.

[문제 2] 수직선 위를 움직이는 두 점 P, Q가 있다.

■ 시각 $t=0$에서 P의 위치는 1이고 Q의 위치는 -1이다.

■ 시각 $t=0$부터 두 점 P, Q가 처음으로 만날 때까지 P는 일정한 속도$-\frac{1}{9}$로, Q는 일정한 속도 $a(a>0)$로 움직인다.

시각 $t(0<t\le 9)$에서 두 점 P, Q의 속도는 다음의 두 경우에만 바뀐다.

■ 두 점 P, Q가 만나면 만남 직후 두 점의 속도는 서로 바뀐다.

■ 두 점 P, Q 중 어떤 점의 위치가 -1 또는 1이 된 직후 그 점의 속도는 부호만 바뀐다.

이와 같은 조건 하에 시각 $t=9$에서 두 점 P, Q가 다섯 번째 만나도록 a값을 구하는 과정을 서술하고, 두 점 P, Q가 네 번째 만나는 시각 t를 구하시오. 그리고 이 네 번째 만남 직후 점 P의 속도를 구하시오.

[1단계] 점 P의 시각 t에서의 위치를 $f(t)$, 점 Q의 시각 t에서의 위치를 $g(t)$라고 하면 시각 $t=0$부터 두 점이 처음 만날 때까지 $f(t)=-\frac{t}{9}+1$, $g(t)=at-1$이다.

[2단계] 시각 t_i를 두 점 P,Q가 i번째 만나는 시각이라고 하면 $t_5=9$이며 $f(t),g(t)$는 다음과 같다.

$$f(t)=-\frac{t}{9}+1\,(0\le t\le t_1),\ f(t)=at-1\,(t_1\le t\le \frac{2}{a}),$$

$$f(t)=-at+3\,(\frac{2}{a}\le t\le t_2)$$

$$f(t)=-\frac{t}{9}+1\,(t_2\le t\le t_3),\ f(t)=at-5\,(t_3\le t\le \frac{6}{a}),$$

$$f(t)=-at+7\,(\frac{6}{a}\le t\le t_4),\ f(t)=-\frac{t}{9}+1\,(t_4\le t\le t_5)$$

$$g(t)=at-1\,(0\le t\le t_1),\quad g(t)=-\frac{t}{9}+1\,(t_1<t\le t_2),$$

$$g(t)=-at+3\,(t_2<t\le \frac{4}{a})$$

$$g(t)=at-5\,(\frac{4}{a}<t\le t_3),\quad g(t)=-\frac{t}{9}+1\,(t_3<t\le t_4),$$

$$g(t)=-at+7\,(t_4<t\le \frac{8}{a}),\quad g(t)=at-9\,(\frac{8}{a}<t\le t_5)$$

시각 $t_5=9$에서 두 점 P, Q가 만나므로 $0=f(9)=g(9)=9a-9$이고, 따라서 $a=1$이다.

[3단계] $a=1$이고 $-t_4+7=f(t_4)=g(t_4)=-\dfrac{1}{9}t_4+1$이므로 $t_4=\dfrac{27}{4}$이다.

[4단계] 네 번째 만남 직후 점 P의 속도는 시각 $t>t_4$에서 t가 t_4에 충분히 가까울 때 함수 $f(t)$의 기울기 $f'(t)=-\dfrac{1}{9}$와 같으므로 구하는 점 P의 속도는 $-\dfrac{1}{9}$이다.

∗채점시 참고사항

[2단계]에서 $f(t)$, $g(t)$의 규칙을 찾아 $a=1$을 구해내는 것이 중요하다. 참고로, $f(t)$, $g(t)$를 그래프로 나타내면 아래와 같다.($f(t)$: 실선, $g(t)$: 점선)

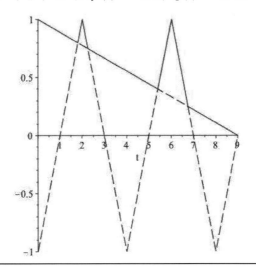

[문제 3] 밑면의 넓이가 $A(m^2)$인 원기둥 모양의 물통에 일정량의 물이 채워져 있다. 그리고 이 물통에 속이 꽉 들어찬 입체도형이 아래 그림과 같이 $v(m/s)$의 일정한 속력으로 하강하고 있다.

수면을 확장한 평면으로 입체도형을 자른 단면의 넓이가 $S(m^2)$인 순간, 수면의 상승 속도를 구하시오. (단, 입체도형이 완전히 잠길 만큼 물통에 물이 많으며 또한 입체도형이 완전히 잠겨도 물이 넘치지 않을 만큼 물통이 충분히 크고, 입체도형은 회전하지 않으며 수직으로 하강한다. 그리고 입체도형의 최하단에서 거리가 $z(m)$인 수면에 평행한 평면으

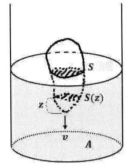

로 자른 입체도형의 단면의 넓이 $S(z)(m^2)$는 z에 대해 연속이다.)

6. 2022학년도 동국대 모의 논술

[문제 1] 상수 $p \neq 0$에 대하여 초점이 점 $F(p, 0)$이고 준선의 방정식이 $x = -p$인 포물선이 주어졌다. 포물선 위의 점 P에서 포물선의 준선에 내린 수선의 발을 H라고 하고 점 P에서의 포물선의 접선과 포물선의 준선의 교점을 Q라고 하자.

1) 점 H와 점 Q사이의 거리와 초점 F와 점 Q사이의 거리를 구하시오.

주어진 포물선의 초점이 $F(p, 0)$이고 준선이 $x = -p$이므로 제시문 [나]에서와 같이 포물선의 방정식은 $y^2 = 4px$이다. 포물선 위의 점 $P(x_1, y_1)$에서의 접선의 방정식은 제시문 [다]에서 주어진 것과 같이 $y_1 y = 2p(x + x_1)$이다. 이 접선과 준선 $x = -p$와의 교점을 구하기 위하여 준선의 식을 접선의 식에 대입하면 $y_1 y = 2p(-p + x_1)$가 되고 따라서 $y = \dfrac{2p(x_1 - p)}{y_1}$을 얻는다. 즉, 접선과 준선의 교점 Q의 좌표는 $\left(-p, \dfrac{2p(x_1 - p)}{y_1}\right)$이다. 점 $P(x_1, y_1)$는 포물선 위의 점이므로 $y_1^2 = 4px_1$을 만족하므로 교점 Q의 좌표는 $\left(-p, \dfrac{2p(x_1 - p)}{y_1}\right) = \left(-p, \dfrac{y_1}{2} - \dfrac{2p^2}{y_1}\right)$이다. 점 $P(x_1, y_1)$에서 준선 $x = -p$에 내린 수선의 발 H의 좌표는 $(-p, y_1)$이므로 점 Q와 점 H사이의 거리는 $\left| \dfrac{y_1}{2} - \left(\dfrac{y_1}{2} - \dfrac{2p^2}{y_1}\right) \right| = \dfrac{|y_1|}{2} + \dfrac{2p^2}{|y_1|}$이다. 또한, 포물선의 초점 F와 점 Q사이의 거리 제곱은 $4p^2 + \left(\dfrac{y_1}{2} - \dfrac{2p^2}{y_1}\right)^2 = \left(\dfrac{y_1}{2} + \dfrac{2p^2}{y_1}\right)^2$이므로 초점 F와 점 Q사이의 거리는 $\dfrac{|y_1|}{2} + \dfrac{2p^2}{|y_1|}$으로 점 Q와 점 H사이의 거리와 같다.

2) 점 H와 점 Q사이의 거리 최솟값을 구하고 최솟값을 가질 때의 점 P의 좌표를 구하시오.

제시문 [라]에서 주어진 것과 같이 점 Q와 점 H 사이 거리는 $|y_1| = 2|p|$ 일 때, $2\sqrt{p^2} = 2|p|$ 가진다. 이때 $x_1 = \dfrac{y_1^2}{2p} = p$이므로 점 Q와 점 H 사이 거리가 최솟값을 가질 때의 점 P의 좌표는 $(p, 2p)$ 또 $(p, -2p)$ 이다.

[문제2] 어느 지역에서 어떤 병에 걸린 사람의 비율은 1%라고 가정하자. 이 병을 진단하는 키트 C, D 두 가지가 새로이 개발되었다. 두 키트로 이 병을 진단할 때, 진단확률은 아래와 같다.

[첫 번째 풀이]

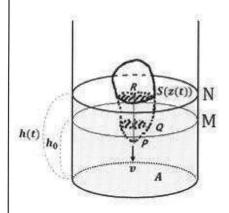

입체도형이 물통의 수면에 입수하기 직전의 시각을 $t=0$이라 하고 그때 수면의 높이를 h_0라 하자. 또한, 왼쪽 그림과 같이 시간 $t \ge 0$에 대해 입체도형이 일부분 잠겨 물이 올라간 수면의 높이를 $h(t)$, 입체도형의 최하단에 있는 점 P에서 수면에 수직으로 올린 수선의 발 R까지의 높이를 $z(t)$, 수면을 확장한 평면 N으로 자른 입체도형의 단면의 넓이를 $S(z(t))$, 마지막으로 물통의 밑바닥으로부터 높이가 h_0인 평면 M에 점 P로부터 수직으로 올린 수선의 발을 Q라 하자.

그러면 입체도형이 일정한 속력 v로 하강하기 때문에 시간 t동안 입체 도형이 하강한 길이, 즉 선분 $\overline{PQ}$의 길이는 vt가 된다. 또한 선분의 길이는 $\overline{PR}$의 길이는 $\overline{PQ}$의 길이와 $\overline{QR}$의 길이의 합이므로 $z(t)=vt+h(t)-h_0$를 얻는다. 마지막으로, 평면 M 아래에 있는 입체도형의 부피는 두 평면 M과 N 사이에 있는 물의 부피와 같아야 하므로 이를 수식으로 표현하면

$$\int_0^{vt} S(x)dx = \int_{vt}^{z(t)} (A-S(x))dx$$

와 같다. 이제 적분 구간을 모두 0에서 시작하는 형태로 바꾸어 정리하면

$$\int_0^{z(t)} (A-S(x))dx = Avt$$

를 얻는다.

이때 $z(t)$가 미분가능(아래의「채점시 평가제외 사항」참조)하므로 이 식의 양변을 t에 대해 미분하면

$$(A-S(z(t)))z'(t) = Av$$

$$z'(t) = \frac{Av}{A-S(z(t))}$$

이고, $z(t)=vt+h(t)-h_0$로부터 $h'(t)$를 구하면

$$h'(t) = z'(t)-v = \frac{S(z(t))v}{A-S(z(t))}$$

이다. 마지막으로, 문제에서 구하려는 순간의 시각을 t_1이라 하면 $S(z(t))=S$이므로 그 순간 수면의 상승속도는

$$h'(t_1) = \frac{Sv}{A-S} \ (m/s)$$

가 된다.

「채점시 평가제외 사항」
입체도형이 물통 속에 완전히 잠기는 순간의 시각을 $t=a$라 하면, $z(t)$는 열린구간 $(0,a)$

에서 미분가능한 함수임을 다음처럼 보일 수 있다. 먼저

$$\int_0^{z(t)} (A-S(x))dx = Avt$$

로부터 $z(t)$가 연속임을 보일 수 있다. 물통이 충분히 크므로 모든 x에 대해 $0 < m \le A-S(x)$를 만족하는 양수 m이 존재한다. 따라서,

$$|Av\Delta t| = \left| \int_{z(t)}^{z(t+\Delta t)} (A-S(x))dx \right| = m|z(t-\Delta t) - z(t)|$$

이 되어 $\lim_{\Delta t \to 0}(z(t+\Delta t) - z(t) = 0)$, 즉 연속이 된다. 또한 충분히 작은 임의의 양수 Δt에 대해

$$\int_{z(t)}^{z(t+\Delta t)} (A-S(x))dx = Av\Delta t > 0, \qquad A-S(x) \ge m > 0$$

이므로 $z(t+\Delta t) - z(t) > 0$, 즉 증가함수이다. 이제 미분가능함을 보이기 위해

$$F(x) = \int_0^x (A-S(u))du$$

로 두면 $F(x)$는 미분가능하고 $F'(x) = A-S(x) \ge m \ge 0$이다. 이제 $z(t)$가 증가함수이므로

$$Av = \lim_{\Delta t \to 0} \frac{1}{\Delta t} \int_{z(t)}^{z(t+\Delta t)} (A-S(x))dx$$

$$= \lim_{\Delta t \to 0} \left(\frac{z(t+\Delta t) - z(t)}{\Delta t} \cdot \frac{F(z(t+\Delta t)) - F(z(t))}{z(t+\Delta t) - z(t)} \right)$$

이고, $F(x)$는 미분가능하며 $z(t)$가 연속이기 때문에

$$\lim_{\Delta t \to 0} \frac{F(z(t+\Delta t)) - F(z(t))}{z(t+\Delta t) - z(t)} = F'(z(t)) > 0$$

이다. 따라서

$$\lim_{\Delta t \to 0} \frac{z(t+\Delta t) - z(t)}{\Delta t}$$

는 존재하고 그 극한값은 $\dfrac{Av}{F'(z(t))}$가 된다.

[두 번째 풀이]

입체도형의 단면의 넓이가 S가 되는 시각을 $t = t_1$이라 하자. 문제에서 구하라는 것은 시각 일 때, 수면의 높이가 아니라 수면의 높이의 변화율이다. 즉, 시각 t_1 이전의 입체도형의 모양과 시각 t_1 이후의 입체 도형의 모양은 수면의 높이의 변화율에 영향을 주지 않으므로, 아래 그림과 같이 수면에 평행한 평면으로 자른 모든 단면의 모양이 문제에서 주어진 입체 도형의 단면의 모양과 동일하고 그 넓이는 S인 기둥 형태의 새로운 입체도형으로 바꾸어 수면의 높이의 변화율을 구하는 것과 같게 된다. (아래「채점시 평가제외 사항」참조)

이제 짧은 시간 Δt동안 기둥 형태의 새로운 입체도형을 v의 속도로 하강시키면

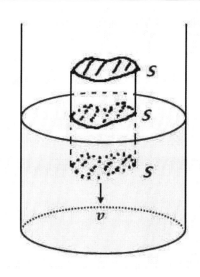

$$(A-S)\Delta h = Su\Delta t$$

를 만족하므로 수면의 상승 속도는

$$\lim_{\Delta t \to 0} \frac{\Delta h}{\Delta t} = \frac{Sv}{A-S} \ (m/s)$$

가 된다.

「채점시 평가제외 사항」

입체도형의 최하단에서 수면에 평행한 평면으로 자른 입체도형의 단면까지의 높이를 z라 하고 $z = z_1$일 때 $S(z_1) = S$라 하자. 단면의 넓이 $S(z)$가 연속함수이므로 최대·최소 정리에 의해 $S(z)$는 닫힌구간 $[z_1, z_1 + \Delta z]$에서 최댓값 $S_{\max}$와 최솟값 $S_{\min}$을 갖는다.

이제 $z_1 \leq z \leq z_1 + \Delta z$인 구간에서 원래의 입체도형을 밑면의 넓이가 $S_{\max}$인 기둥 형태의 새로운 입체도형으로 변형하여 $z = z_1$이 되는 시각부터 충분히 짧은 시간 Δt동안 이 새로운 입체도형을 하강시키면 상승하는 수면의 높이를 $\Delta h_{\max}$라 두자. 비슷하게 $z_1 \leq z \leq z_1 + \Delta z$인 구간에서 원래의 입체도형을 밑면의 넓이가 $S_{\min}$인 기둥 형태의 새로운 입체도형으로 변형하여 $z = z_1$이 되는 시각부터 위에서 사용한 동안 Δt이 새로운 입체도형을 하강시키면 상승하는 수면의 높이를 $\Delta h_{\min}$라 두자. 마지막으로 문제에서 주어진 원래의 입체도형을 $z = z_1$이 되는 시각부터 위와 똑같은 Δt 동안 하강시키면 상승하는 수면의 높이를 Δh라 두자. 그러면

$$\Delta h_{\min} \leq \Delta h \leq \Delta h_{\max}$$

를 만족함을 알 수 있다.

이제 [두 번째 풀이]처럼 $\Delta h_{\max}$와 $\Delta h_{\min}$을 구하여 위 부등식에 대입하면

$$\frac{S_{\min}v}{A-S_{\min}} \leq \frac{\Delta h}{\Delta t} \leq \frac{S_{\max}v}{A-S_{\max}}$$

$$\frac{S_{\min}v}{A-S_{\min}} \leq \lim_{\Delta t \to 0} \frac{\Delta h}{\Delta t} = \frac{S_{\max}v}{A-S_{\max}}$$

를 얻는다. 이제 $\Delta z \to 0$일 때 $S_{\max} \to S(z_1) = S$와 $S_{\max} \to S$임을 이용하면 문제에서 구하고자 하는 상승속도는

$$\lim_{\Delta t \to 0} \frac{\Delta h}{\Delta t} = \frac{Sv}{A-S} \ (m/s)$$

가 된다.

	C 키트	D 키트
병에 걸린 사람을 병에 걸렸다고 정확하게 진단할 확률	98%	99%
병에 걸리지 않은 사람을 병에 걸렸다고 잘못 진단할 확률	1%	2%

이 지역에서 임의로 한 명을 선택하여 검사를 한 결과 병에 걸렸다고 진단하였을 때, 그 사람이 실제로 병에 걸렸을 확률은 C, D 두 키트 중 어느 키트가 높은지 제시문을 이용하여 설명하시오.

사건 A를 이 지역에서 임의로 선택된 사람이 감염자인 사건이고, 사건 B는 이 지역에서 임의로 선택된 사람이 양성반응을 나타내는 사건이라고 하자. 이 지역에서 임의로 한 명을 선택하여 검사를 한 결과 병에 걸렸다고 진단하였을 때, 그 사람이 실제로 병에 걸렸을 확률을 제시문 [나]에 의해 조건부 확률 $P(A|B)$로 나타낼 수 있다. $P(A) = 0.01$와 확률의 덧셈정리와 확률의 곱셈정리를 이용하면

$$P(B) = P(B|A) + P(B|A^c) = P(A)P(A \cap B) + P(A^c)P(A^c \cap B)$$

이다. 따라서, C, D에 대해 키트에 대해 $P(B)$의 값은 다음과 같다.

C키트 : $P(B) = 0.01 \times 0.98 + 0.99 \times 0.01 = 0.0197$

D키트 : $P(B) = 0.01 \times 0.99 + 0.99 \times 0.02 = 0.0297$

조건부 확률의 정의와 확률의 곱셈정리를 이용하여

$$P(A|B) = \frac{P(A \cap B)}{P(B)} = \frac{P(A)P(B|A)}{P(B)}$$

로 나타낼 수 있고, C, D 키트에 대해 조건부 확률 $P(A|B)$를 다음과 같이 구할 수 있다.

C키트 : $P(A|B) = \dfrac{0.0098}{0.0197} = \dfrac{98}{197}$

D키트 : $P(A|B) = \dfrac{0.00989}{0.0297} = \dfrac{98}{297}$

따라서, 이 지역 임의의 한 명이 병에 걸렸다고 진단했을 때 실제로 병에 걸렸을 확률은 C 키트가 D 키트보다 높다.

[문제 3] 제시문을 바탕으로 아래 두 문제의 답과 풀이 과정을 서술하시오.

1) 양수 t에 대하여 직선 $y = t$와 곡선 $y = 3x + \sin x$이 만나는 점의 x좌표를 $h(t)$라고 하자. $h'(t)$가 $t = a$에서 최솟값을 가질 때, 양수 a의 최솟값을 구하시오.

주어진 조건에 의해 $t = 3h(t) + \sin h(t)$를 만족한다. 음함수 미분법(또는 역함수 미분법)에 의해 $1 = (3 + \cos h(t))h'(t)$를 만족하므로 $h'(t) = \dfrac{1}{3 + \cos h(t)}$이다. $t = a$에서 $h'(t)$가 최솟값을 가지므로 $\cos h(a) = 1$이다. 그러므로 $a = 3h(a) + \sin h(a)$를 만족한다. 그런데 $\sin^2 h(a) = 1 - \cos^2 h(a) = 0$이므로 $a = 3h(a)$를 만족한다.

따라서 $\cos h(a) = \cos\left(\dfrac{a}{3}\right) = 1$을 만족하는 가장 작은 양수 a는 6π이다.

2) $0 \le t \le 6\pi$인 실수 t에 대하여 함수 $f(t)$를 $f(t) = \displaystyle\int_0^{2\pi} |3x + \sin x - t|\,dx$라고 하자. 함수 $f(t)$가 $t = a$에서 최솟값을 가질 때, a의 값을 구하시오.

(단, $0 \le a \le 6\pi$이다.)

함수 $y = 3x + \sin x$에서 $y' = 3 + \cos x > 0$이므로 $y = 3x + \sin x$는 치역이 실수 전체의 집합인 증가함수이다. 그리고 $0 \leq x \leq 2\pi$에서 $0 \leq y = 3x + \sin x \leq 6\pi$의 범위를 갖는다.

$0 \leq x \leq 6\pi$를 만족하는 실수 t에 대하여 $t = 3h(t) + \sin h(t)$를 만족하는 $h(t)$가 존재하고

$$f(t) = \int_0^{h(t)} t - (3x + \sin x)dx + \int_{h(t)}^{2\pi} (3x + \sin x - t)dx$$

가 성립한다. 적분하면

$$f(t) = 2\left(t\,h(t) - \frac{3h(t)^2}{2} + \cosh(t)\right) - 2\pi t - 2 + 6\pi^2$$

이다. $0 \leq x \leq 6\pi$에 대하여 미분하면

$f'(t) = 2h'(t)(t - 3h(t) - \sinh(t) + 2(h(t) - \pi)$이고 $t = 3h(t) + \sinh(t)$를 만족하므로

$f'(t) = 2(h(t) - \pi)$이다.

$0 \leq x \leq 6\pi$에서 $h(t)$는 $0 < h(t) < 2\pi$이고 증가하는 연속 함수이다. 그러므로 $h(t) = \pi$인 t에 대하여

$f'(t) = 0$이고 $f(t)$가 최솟값을 갖는다. $t = 3h(t) + \sin h(t)$에서 $h(t) = \pi$이면 $t = 3\pi$이다.

따라서 $a = 3\pi$이다.

7. 2021학년도 동국대 수시 논술

[문제1] 어떤 비트코인이 초기 가격 A_0에서 매년 일정한 비율로 올라가 5년 후 초기 가격의 2배가 되었다고 가정했을 때, 그 비트코인 가격은 매년 몇 %씩 올라갔는지 논술하시오

(단, $\log 2 = 0.3$, $\log 1.15 = 0.06$으로 계산하시오).

---

1) 어떤 비트코인의 초기 가격을 A_0라 하고, 매년 비트코인 가격이 일정하게 $a\%$씩 올라간다고 하면 5년 후의 비트코인 가격 A_5는

$$A_5 = A_0\left(1 + \frac{a}{100}\right)^5$$

이다.

2) 5년 후 비트코인 가격이 초기 가격의 2배가 되는 경우를 식으로 나타내면,

$A_5 = A_0\left(1 + \frac{a}{100}\right)^5 = 2A_0$ 이므로 $\left(1 + \frac{a}{100}\right)^5 = 2$

이다.

3) $\left(1 + \frac{a}{100}\right)^5 = 2$ 이므로 제시문 [나]-2)에 따라

[문제 2] 상품K는 무게에 따라 다음과 같이 구분된다.

구분	A등급	B등급	C등급
무게	$68g$ 이상	$50g$ 이상$-$ $68g$ 미만	$50g$ 미만

어느 공장에서 생산되는 상품K 한 개의 무게는 평균이 $55.2g$이고 표준편차가 $10g$인 정규분포를 따른다고 한다(단, 단위는 생략할 수 있다).

1) 이 공장에서 생산되는 상품K 중에서 임의의 한 개를 선택할 때, 이 상품K가 A등급일 확률을 구하시오.

2) 1)을 이용하여 이 공장에서 생산되는 400개 상품K 중에서 A등급으로 구분되는 상품K 수의 평균과 표준편차를 구하시오.

3) 제시문 [라]와 2)를 이용하여 이 공장에서 생산되는 400개 상품K 중에서 A등급이 52개 이상일 확률을 구하시오.

1)

이 공장에서 생산되는 상품 K 한 개의 무게를 확률변수 X라 하자.

확률변수 X가 정규분포 $N(55.2, 10^2)$을 따르므로 제시문 [다]에 의해 $Z = \dfrac{X-55.2}{10}$ 이고

$$P(X \geq 68) = P(Z \geq 1.28)$$

이다. 제시문 [나]와 [마]를 이용하면

$$P(Z \geq 1.28) = 0.5 - P(0 \leq Z \leq 1.28) = 0.1$$

2)

이 공장에서 생산되는 400개의 상품 K 중에서 A 등급으로 분류되는 상품 K 의 수를 확률변수 Y라 하면 Y는 이항분포 $B(400, 0.1)$를 따른다. 제시문 [가]를 이용하여 확률변수 Y의 평균과 표준편차를 계산하면

$$m = 400 \times 0.1 = 40, \ \sigma = \sqrt{400 \times 0.1 \times 0.9} = 6$$

이다.

3)

확률변수 Y가 이항분포 $B(400, 0.1)$을 따르는 데, 제시문 [라]를 이용하면 확률변수 Y는

근사적으로 정규분포 $N(40, 6^2)$을 따른다. 따라서 이 공장에서 생산되는 400개의 상품 K 중에서 A 등급이 52개 이상일 확률은

$$P(Y \geq 52) = P(\frac{Y-40}{6} \geq 2) = P(Z \geq 2)$$
$$= 0.5 - P(0 \leq Z \leq 2) = 0.02$$

이다.

[문제 3] 함수 $y = f(x)$가 정의역 $\{x \mid x \geq 3\}$에서 $f(x) \geq 0$이며 연속이고, 함수 $y = f(x)$의 그래프 위 임의의 점 $(t, f(t))$가

$$\int_3^t (s-3)^2 \, ds + \int_0^{f(t)} (\sqrt{s} + 3) \, ds = t f(t)$$

를 만족한다고 할 때, 함수 $y = f(x)$를 구하시오. 함수 $y = f(x)$의 그래프와 x축 및 $x = 4$로 둘러싸인 도형 R의 넓이를 구하시오. R을 밑면으로 하는 입체 도형을 x축에 수직인 평면으로 자른 단면이 정사각형일 때, 이 입체도형의 부피를 구하시오.

예시답안1과 예시답안2 모두 가능함.

□ **예시 답안 1**

[1] 함수 $y = f(x)$가 정의역 $\{x \mid x \geq 3\}$에서 $f(x) \geq 0$이므로 함수 $y = f(x)$의 그래프 위 임의의 점 $(t, f(t))$는 $t \geq 3$, $f(t) \geq 0$을 만족한다.

[2] $\displaystyle\int_3^t (s-3)^2 \, ds + \int_0^{f(t)} (\sqrt{s} + 3) \, ds = t f(t)$ 이므로

$$t f(t) = \int_3^t (s-3)^2 \, ds + \int_0^{f(t)} (\sqrt{s} + 3) \, ds$$

$$= \int_0^{t-3} x^2 \, dx + \frac{2}{3} f(t)^{\frac{3}{2}} + 3f(t) = \frac{1}{3}(t-3)^3 + \frac{2}{3} f(t)^{\frac{3}{2}} + 3f(t)$$

이고 $A = t-3$, $B = \sqrt{f(t)}$를 이용하여 정리하면 $A^3 + 2B^3 - 3AB^2 = 0$ 이 된다. 이를 인수 분해 하면

$(A-B)^2 (A+2B) = 0$이므로 함수 $y = f(x)$의 그래프 위 임의의 점 $(t, f(t))$는

$$\sqrt{f(t)} = t - 3 \qquad \text{또는} \qquad t - 3 + 2\sqrt{f(t)} = 0$$

을 만족한다. $t \geq 3$, $f(t) \geq 0$ 이므로 구하려는 연속 함수 $y = f(x)$는

$$y = (x-3)^2, \qquad (단, \ x \geq 3)$$

이다.

[3] 함수 $y = (x-3)^2$의 그래프와 x축 및 $x = 4$로 둘러싸인 도형 R의 넓이는

$\int_3^4 (x-3)^2 dx = \int_0^1 s^2 ds = \dfrac{1}{3}$ 이다. R을 밑면으로 하는 입체 도형을 x축에 수직인 평면으로 자른 단면이 정사각형일 때, 이 입체도형의 부피는 $\int_3^4 (x-3)^4 dx = \int_0^1 s^4 ds = \dfrac{1}{5}$이다.

□ 예시 답안 2

[1] 예시답안1-[1]과 동일

[2] 두 정적분을 다른 표현

$$\int_3^t (s-3)^2 \, ds = \int_3^t (x-3)^2 \, dx,$$

$$\int_0^{f(t)} (\sqrt{s}+3) \, ds = \int_0^{f(t)} (\sqrt{y}+3) \, dy$$

으로 쓸 수 있다.

$\int_3^t (x-3)^2 dx$ 은 곡선 $y=(x-3)^2$과 x축 및 두 직선 $x=3$, $x=t$로 둘러싸인 도형의 넓이를 나타내고, $\int_0^{f(t)} \sqrt{y}+3 \, dy$은 곡선 $x=\sqrt{y}+3$과 y축 및 두 직선 $y=0$, $y=f(t)$로 둘러싸인 도형의 넓이를 나타낸다.

$x \geq 3$, $y \geq 0$일 때, 좌표평면 위 곡선 $x=\sqrt{y}+3$은 곡선 $y=(x-3)^2$과 같으므로, $\int_3^t (x-3)^2 \, dx + \int_0^{f(t)} (\sqrt{y}+3) \, dy = tf(t)$ 는 점$(t, f(t))$가 곡선 $y=(x-3)^2$의 그래프 위에 위치하는 경우를 나타낸다.

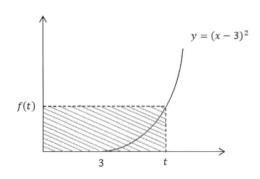

따라서, 구하려는 함수 $y=f(x)$는 $y=(x-3)^2$, (단, $x \geq 3$)이다.

[3] 예시답안1-[3]과 동일

8. 2021학년도 동국대 모의 논술

[문제 1] 축 x위의 점 $P(x,0)$과 축 y위의 점 $Q(0,y)$ 사이의 거리가 5로 일정하게 고정

되어 $x, y > 0$인 영역에서 0이 아닌 속력으로 움직인다고 하자. 점 P의 속력이 점 Q의 속력의 절반이 될 때의 점 P와 점 Q의 좌표를 구하고 풀이 과정을 서술하시오.

점 $P(x, 0)$와 점 $Q(0, y)$사이의 거리가 5로 고정되어 있으므로 제시문 【나】 주어진 거리 공식에 따라 $\sqrt{(x-0)^2 + (y-0)^2} = 5$이다. 양변을 제곱하면

$$x^2 + y^2 = 25 \qquad\qquad (1)$$

이다. 제시문 【라】에서 주어진 음함수의 미분법을 이용하여 미분하면

$$2x + 2y\frac{dy}{dx} = 0 \qquad\qquad (2)$$

이다. 변수 x와 y를 시간 t의 함수로 주어졌다고 하자. 그러면 제시문 【다】와 식 (2)에 의하여

$$\frac{\frac{dy}{dt}}{\frac{dx}{dt}} = \frac{dy}{dx} = -\frac{x}{y} \qquad\qquad (3)$$

을 얻는다.

문제의 조건에서 $\left|\dfrac{dx}{dt}\right| = \dfrac{1}{2}\left|\dfrac{dy}{dt}\right| \neq 0$이고 영역은 $x, y > 0$으로 주어졌으므로 식 (3)을 풀면 $x = 2y$가 된다. 이것을 다시 식 (1)에 대입하여 풀면 $x = 2\sqrt{5}$, $y = \sqrt{5}$를 얻는다. 즉 P의 좌표는 $(2\sqrt{5}, 0)$이고, Q의 좌표는 $(0, \sqrt{5})$이다.

[문제 2] 주사위를 3번 던져서 나온 숫자를 순서대로 a, b, c라고 할 때, 삼차 함수 $f(x) = x^3 + ax^2 + bx + c$가 일대일 함수일 확률을 구하고 풀이 과정을 서술하시오.

문제에서 주어진 3차 함수 $f(x)$가 증가하고 감소하거나 감소하고 증가하면 극댓값 또는 극솟값을 가지게 된다. 만일 극댓값을 가지면 제시문 【다】에 의하여 극댓값보다 작은 어떤 값 k에 대하여 증가하는 구간에서 $f(c_1) = k$인 c_1가 존재하고 또 감소하는 구간에서 $f(c_2) = k$인 c_2가 존재한다. 따라서 $f(x)$는 일대일함수가 아니다. 마찬가지로 극소를 가져도 $f(x)$는 일대일함수가 아니다. 따라서 $f(x)$가 일대일함수인 것은 $f(x)$는 실수전체에서 증가 또는 감소 함수라는 것이다. 즉 도함수 $f'(x) = 3x^2 + 2ax + b$는 모든 x에 대하여 $f'(x) \geq 0$이거나 모든 x에 대하여 $f'(x) 0 \leq$이다. 이 조건은 이차방정식 $f'(x) = 0$는 중근이나 허근을 가지는 것으로 $f'(x) = 0$의 판별식은 $D/4 = a^2 - 3b \leq 0$를 만족해야 한다. 따라서 $a^2 - 3b \leq 0$을 만족하는 a, b의 순서쌍의 개수는 $a = 1$일 때, $b = 1, \ldots, 6$, $a = 2$일 때, $b = 2, \ldots, 6$, $a = 3$일 때, $b = 3, \ldots, 6$, $a = 4$일 때, $b = 6$으로 모두 합하면 16가지 경우가 있다. 여기서 상수항의 계수 c의 값은 $f(x)$가 일대일 함수인지 아닌지에 관계가 없으므로 무시한다. 그러면 표본공간의 전체 a, b의 순서쌍의 개수는 36개이고 구하고자 하는 확률은 $\dfrac{16}{36} = \dfrac{4}{9}$이다.

[문제 3] 함수 $f(x)$의 이계도함수 $f''(x)$가 실수 전체의 집합에서 존재하고, 모든 실수 x에 대하여 $f'(2x + \sin x) = 6x + 4\sin x$가 성립한다. $f(0) = 0$일 때, 다음 물음에 답하시오.

1) $f(4\pi)$의 값과 $\displaystyle\int_0^\pi f(2x+\sin x)\,dx$의 값을 구하고 풀이과정을 서술하시오.

2) $f''(\pi+1)$의 값, 이계도함수 $f''(x)$의 최솟값 m과 최댓값 M을 구하고 풀이과정을 서술하시오.

모든 실수 x에 대하여 $\displaystyle f(2x+\sin x)=\int_0^x f'(2t+\sin t)(2+\cos t)\,dt$가 성립하므로

위 식에 $f'(2x+\sin x)=6x+4\sin x$를 대입하면

$\displaystyle f(2x+\sin x)=\int_0^x (6t+4\sin t)(2+\cos t)\,dt$이다. 이 적분을 계산하면

$$f(2x+\sin x)=\int_0^x (6t+4\sin t)(2+\cos t)\,dt$$
$$=\Big[6t^2+6t\sin t-2\cos^2 t-2\cos t\Big]_0^x$$

이다.

$$=6x^2+6x\sin x-2\cos^2 x-2\cos x+4$$

그러므로 $f(2x+\sin x)=6x^2+6x\sin x-2\cos^2 x-2\cos x+4$에 $x=2\pi$를 대입하면

$f(4\pi)=24\pi^2$이고

$$\int_0^\pi f(2x+\sin x)\,dx=\Big[2x^3+3x-6x\cos x+4\sin x-\sin x\cos x\Big]_0^\pi$$
$$=2\pi^3+9\pi=\pi(2\pi^2+9)$$

이다.

정답 : $f(4\pi)=24\pi^2$, $\displaystyle\int_0^\pi f(2x+\sin x)\,dx=2\pi^3+9\pi=\pi(2\pi^2+9)$

※ 유의사항

$f(2x+\sin x)=6x^2+6x\sin x-2\cos^2 x-2\cos x+4$

대신

$f(2x+\sin x)=6x^2+6x\sin x-2\sin^2 x-2\cos x+2$

$f(2x+\sin x)=6x^2+6x\sin x-\cos 2x-2\cos x+3$

$f(2x+\sin x)=6x^2+6x\sin x-\cos^2 x+\sin^2 x-2\cos x+3$로 **나태내도 같은 표현임**

$f'(2x+\sin x)=6x+4\sin x$에서 양변을 미분하면

$f''(2x+\sin x)(2+\cos x)=6+4\cos x$이다. 즉, $\displaystyle f''(2x+\sin x)=\frac{6x+4\cos x}{2x+\cos x}$이다.

$x=\dfrac{\pi}{2}$를 대입하면, $f''(\pi+1)=3$이다.

$h(x)=2x+\sin x$라고 하면 $h'(x)=2+\cos x>0$이므로 $h(x)$는 증가하는 연속함수이고

$\lim\limits_{x \to \infty} h(x) = \infty$**이고** $\lim\limits_{x \to -\infty} h(x) = -\infty$**이므로 함수** $h(x) = 2x + \sin x$**의 치역은 실수 전체의 집합이다.**

그러므로 이계도함수 $f''(x)$**의 최댓값과 최솟값은** $f''(2x + \sin x) = \dfrac{6x + 4\cos x}{2x + \cos x}$**의 최댓값과 최솟값과 각각 같다.** $t = \cos x \, (-1 \le t \le 1)$**로 치환하면**

$\dfrac{6 + 4\cos x}{2 + \cos x} = \dfrac{6 + 4t}{2 + t} = 4 + \dfrac{-2}{2 + t}$**이고** $\dfrac{6 + 4t}{2 + t} = 4 + \dfrac{-2}{2 + t}$**는** $[-1, 1]$**에서 증가하는 함수이므로**

$t = -1$**일 때 최솟값** $2, t = 1$**일 때, 최댓값** $\dfrac{10}{3}$**를 갖는다.**

정답 : $f''(\pi + 1) = 3$**, 최솟값** $m = 2$**, 최댓값** $M = \dfrac{10}{3}$

9. 2020학년도 동국대 수시 기출

[문제 1] 좌표평면 위의 세 점 $A(x_1, y_1)$, $B(x_2, y_2)$, $C(x_3, y_3)$으로 만들어진 삼각형 ABC의 넓이를 제시문 [가]~[마]를 이용하여 $x_1, x_2, x_3, y_1, y_2, y_3$로 나타내시오.

그리고 이 공식을 이용하여 $A(1, 1)$, $B(2, 2)$, $C\left(\dfrac{1}{2}, \dfrac{5}{2}\right)$일 때, 삼각형 ABC의 넓이를 구하시오.

삼각형의 면적을 제시문 [가]를 이용하여 표현하면

$$S = \frac{1}{2} |\overrightarrow{AB}| \, |\overrightarrow{AC}| \sin(\angle BAC)$$

이다. 한편 $\angle BAC$**의 코사인 값을 제시문 [나]를 이용하여**

$$\cos(\angle BAC) = \frac{|\overrightarrow{AB}| \cdot |\overrightarrow{AC}|}{|\overrightarrow{AB}| |\overrightarrow{AC}|}$$

로 표현한다. 제시문 [다]를 이용하면 삼각형의 면적은

$$S = \frac{1}{2} \sqrt{|\overrightarrow{AB}|^2 |\overrightarrow{AC}|^2 - (|\overrightarrow{AB}| \cdot |\overrightarrow{AC}|)^2}$$

로 나타낼 수 있다.

제시문 [라]와 [마]를 이용하면

$|\overrightarrow{AB}| = (x_2 - x_1, y_2 - y_1)$,

$|\overrightarrow{AC}| = (x_3 - x_1, y_3 - y_1)$,

$|\overrightarrow{AB}| \cdot |\overrightarrow{AC}| = (x_2 - x_1)(x_3 - x_1) + (y_2 - y_1)(y_3 - y_1)$

마지막으로 삼각형의 면적을 A, B, C **의 성분으로 나타내면**

$$S = \frac{1}{2} \sqrt{((x_2 - x_1)^2 + (y_2 - y_1)^2)((x_3 - x_1)^2 + (y_3 - y_1)^2) - ((x_2 - x_1)(x_3 - x_1) + (y_2 - y_1)(y_3 -}$$

$$= \frac{1}{2} \sqrt{((x_2 - x_1)^2 (y_3 - y_1)^2 + (y_2 - y_1)^2 (x_3 - x_1)^2 - 2(x_2 - x_1)(x_3 - x_1)(y_2 - y_1)(y_3 - y_1)}$$

$$= \frac{1}{2}\sqrt{((x_2 - x_1)(y_3 - y_1) - (y_2 - y_1)(x_3 - x_1))^2}$$

이다.

$A(1,1)$, $B(2,2)$, $C\left(\dfrac{1}{2},\dfrac{5}{2}\right)$**일 때 삼각형 ABC의 면적을 위 식을 이용하여 구하면** $S=1$

이다.

[문제 2] 제시문을 이용하여, 함수 $f(x)$가 닫힌 구간 $[a,b]$에서 연속이면

$$\frac{d}{dx}\int_a^x f(t)dt = f(x) \qquad (a < x < b)$$

이 됨을 설명하시오.

함수 $y=f(t)$**가 닫힌 구간** $[a,b]$**에서 연속이고** $f(t) \geq 0$**일 때, 닫힌구간** $[a,b]$**에 속하는** x**에 대하여** a**에서** x**까지 곡선** $y=f(t)$**와** t**축 사이의 넓이를** $S(x)$**라 하면,**

$$S(x) = \int_a^x f(t)dt$$

이다.

이때 x**의 증분** $\Delta x(\Delta x > 0)$**에 대한** $S(x)$**의 증분을** ΔS**라 하면,**
$\Delta S = S(x+\Delta x) - S(x)$**이다.**

한편, 닫힌 구간 $[x, x+\Delta x]$**에서 함수** $f(t)$**가 연속이면 이 구간에서 최댓값과 최솟값을 가진다. 그 최댓값과 최솟값을 각각** M**과** m**이라고 하면**

$m\Delta x \leq \Delta S \leq M\Delta x$**이므로** $m \leq \dfrac{\Delta S}{\Delta x} \leq M$**이다.**

함수 $y=f(t)$**가 닫힌 구간** $[a,b]$**에서 연속이므로**

$\Delta x \to 0$**이면** $m \to f(x)$, $M \to f(x)$**이다. 따라서** $f(x) \leq \lim\limits_{\Delta x \to 0} \dfrac{\Delta S}{\Delta x} \leq f(x)$**이고,**

함수 $y=f(x)$**의 도함수는** $\dfrac{d}{dx}f(x) = f'(x) = \lim\limits_{\Delta x \to 0}\dfrac{\Delta y}{\Delta x}$**이다.**

따라서 $\dfrac{d}{dx}S(x) = \lim\limits_{\Delta x \to 0}\dfrac{\Delta S}{\Delta x} = f(x)$,

이때, $S(x) = \int_a^x f(t)dt$**이므로,** $\dfrac{d}{dx}\int_a^x f(t)dt = f(x)$**이 성립한다.**

[문제 3] 반지름이 각각 3cm, 4cm인 두 원반 A와 B가 그림과 같이 설치되어 있다. 원반 A와 원반 B는 서로 미끄러지지 않게 맞물려 있고 화살표 방향으로 원반 A를 회전하면 원반 B도 회전한다. 원반 B는 6등분되어 그림과 같이 회색과 흰색으로 색칠되어 있다.

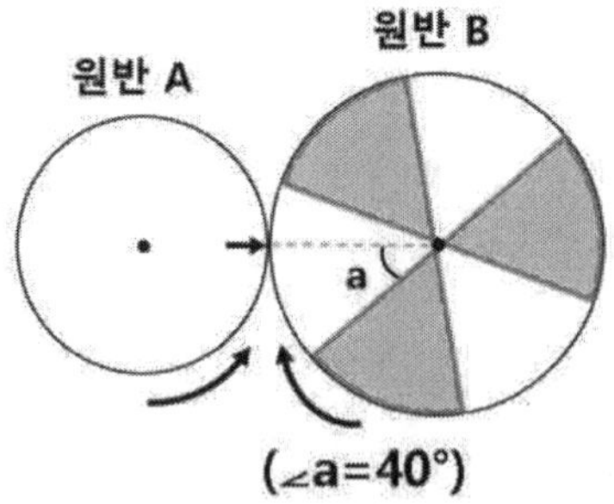

주사위를 2번 던져서 나오는 눈의 합 횟수만큼 그림과 같이 정지 상태에서 원반 A를 반시계 방향으로 회전시킬 때, 원반 A의 화살표가 원반 B의 회색부분의 호에 맞닿을 확률

을 $P(Q)$라고 하자. 제시문을 참고하여 시행, 표본공간 S, 사건 Q, 확률 $P(Q)$를 구하시오.

(※. 표본공간은 채점 기준에서와 같이 표현하거나 아래 예시 답안과 표현해도 상관없음. 표현 방식을 적절히 설명한다는 전제하에 다양하게 표현할 수 있음.)

예시 답안 1

제시문 (가)에 의하면 시행은 우연에 의하여 좌우되는 실험이므로 주사위를 2번 던지는 것으로 볼 수 있다. 그리고 이에 대응되는 표본공간은 시행을 통해서 우연히 얻게 되는 2개의 숫자들이다. 첫 번째 던져서 얻는 숫자를 십의 자리 두 번째 던져서 얻는 숫자를 일의 자리로 만든 수로 표현하면 표본공간은 S={11, 12, 13, 14, 15, 16, 21, 22, 23, 24, 25, 26, 31, 32, 33, 34, 35, 36, 41, 42, 43, 44, 45, 46, 51, 52, 53, 54, 55, 56, 61, 62, 63, 64, 65, 66}이 된다.

그리고 문제에서 얻고자 하는 확률의 사건은 원반 A가 한 바퀴 돌면 원반 B의 $\frac{3}{4}$ 바퀴 위치에 멈추는 것을 고려하면, (아래 그림과 같이) 원반 A가 2, 3, 6, 7, 10, 11번 회전 시 원반 A의 화살이 원반 B의 회색 호에 닿게 된다. 따라서 해당 사건 은 Q={11, 12, 21, 15, 24, 33, 42, 51, 16, 25, 34, 43, 52, 61, 46, 55, 64, 56, 65}이 된다. 주사위를 2번 던지는 것은 독립인 시행이므로 각 표본공간의 원소가 발생할 확률은 모두 $\frac{1}{36}$ 이고, 제시문 (다)에 의해 각 원소는 서로 배반이므로 구하고자 하는 확률은 $P(Q)=\frac{19}{36}$ 가 된다.

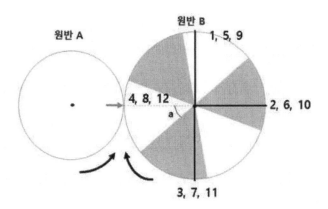

[예시 답안 2]

제시문 (가)에 의하면 시행은 우연에 의하여 좌우되는 실험이므로 주사위를 2번 던져 나온 눈의 합으로 볼 수 있다. 그리고 이에 대응되는 표본공간은 S={2, 3, 4, 5, 6, 7, 8, 9, 10, 11, 12}가 된다. 그리고 문제에서 얻고자 하는 확률의 사건은 2, 3, 6, 7, 10, 11번 회전 시 원반 A의 화살이 원반 B의 회색 호에 닿게 된다. 따라서 해당 사건은 원반 A가 한 바퀴 돌면 원반 B의 $\frac{3}{4}$ 바퀴 위치에 멈추는 것을 고려하면, 원반 A가 ={

2, 3, 6, 7, 10, 11}이 된다.

사건 Q의 확률은 Q의 각 원소가 서로 배반이므로

$P(Q) = P(2) + P(3) + \cdots + P(11)$이 된다. 그리고 주사위를 2번 던지는 독립인 시행에서

첫 번째 던져 나온 숫자 i와 두 번째 던져 나온 숫자 j인 사건을 A_{ij}로 $P(A_{ij}) = \dfrac{1}{36}$이며,

A_{ij}들은 서로 배반이므로 각 회전수 별 확률은 다음과 표현하면 같다.

$$P(\{2\}) = P(A_{11}) = \frac{1}{36}$$

$$P(\{3\}) = P(A_{12} \cup A_{21}) = P(A_{12}) + P(A_{21}) = \frac{2}{36}$$

$$P(\{6\}) = P(A_{15} \cup A_{24} \cup A_{33} \cup A_{42} \cup A_{51})$$

$$= P(A_{15}) + P(A_{24}) + P(A_{33}) + P(A_{42})P(A_{51}) = \frac{5}{36}$$

$$P(\{7\}) = P(A_{16} \cup A_{25} \cup A_{34} \cup A_{43} \cup A_{52} \cup A_{61})$$

$$= P(A_{16}) + P(A_{25}) + P(A_{34}) + P(A_{43}) + P(A_{52}) + P(A_{61}) = \frac{6}{36}$$

$$P(\{10\}) = P(A_{46} \cup A_{55} \cup A_{64}) = P(A_{46}) + P(A_{55}) + P(A_{64}) = \frac{3}{36}$$

$$P(\{11\}) = P(A_{56} \cup A_{65}) = P(A_{56}) + P(A_{65}) = \frac{2}{36}$$

따라서 $P(Q) = \dfrac{19}{36}$가 된다.

10. 2020학년도 동국대 모의 논술

[문제 1] 제시문【가】의 공장에서 생산하는 아이스크림 콘의 부피가 $9\sqrt{2}\,\pi^4$ 로 일정할 때, 아이스크림 콘 옆면의 겉넓이를 최소로 하여 생산비를 최소로 하고자 한다. 생산비가 최소가 될 때 이 공장에서 생산하는 아이스크림 콘의 윗면의 반지름과 높이를 구하라.

밑면의 반지름의 길이가 r 이고, 높이가 h 인 원뿔 모양 아이스크림 콘의 부피를 V, 겉넓이를 S 라고 하면

$$V = \frac{1}{3}\pi r^2 h \qquad\qquad (1)$$

이다. 옆면을 펼쳤을 때, 생기는 부채꼴의 호의 길이를 l 이라 하면, 부채꼴의 넓이는 아이스크림 콘의 겉넓이 S 이고, 부채꼴의 반지름의 길이 $R = \sqrt{r^2 + h^2}$ 임을 알 수 있다. 호의 길이 l 은 윗면 원의 둘레와 같으므로 $l = 2\pi r$ 이다. 따라서, 부채꼴의 넓이 즉, 겉넓이 S 는 제시문 【나】에 의해

$$S = \frac{1}{2}Rl = \pi r \sqrt{r^2 + h^2}.$$

원뿔모양 아이스크림 콘의 일정한 부피가 $9\sqrt{2}\,\pi^4$ 이므로, 식 (1)에서

$$h = \frac{27\sqrt{2}\,\pi^3}{r^2} \qquad\qquad (2)$$

이다. 이 때

$$S = \pi r \sqrt{r^2 + \frac{2\cdot 3^6 \cdot \pi^6}{r^4}} = \sqrt{\pi^2 r^4 + \frac{2\cdot 3^6 \cdot \pi^8}{r^2}}\ .$$

이때 S 를 r 에 대해 미분하면

$$\frac{dS}{dr} = \frac{4\pi^2 r^3 - \dfrac{4\cdot 3^6 \cdot \pi^8}{r^3}}{2\sqrt{\pi^2 r^4 + \dfrac{2\cdot 3^6 \cdot \pi^8}{r^2}}} = \frac{2\pi^2 (r^6 - (3\pi)^6)}{r^2 \sqrt{\pi^2 r^6 + 2\cdot 3^6 \cdot \pi^8}}.$$

$\dfrac{dS}{dr}$ 은 $r > 3\pi$ 이면 양수이고, $r < 3\pi$ 이면 음수이다. 따라서 제시문 【다】에 의해 S 는 $r > 3\pi$ 일 때 증가하고, $r < 3\pi$ 일 때 감소한다. 따라서, S 가 최소가 될 때, $r = 3\pi$ 이다. 이때 높이 h 는 식 (2)에 의해

$$h = \frac{27\sqrt{2}\,\pi^3}{r^2} = 3\sqrt{2}\,\pi$$

이다.

※ 유의 사항

식 (2)에서 r 을 h 로 표현하면

$$r^2 = \frac{27\sqrt{2}\,\pi^3}{h}\ , \quad S = \sqrt{\frac{2\cdot 3^6 \cdot \pi^8}{h^2} + 27\sqrt{2}\,\pi^5 h}\ .$$

이때 S 를 h 에 대해 미분하면

$$\frac{dS}{dh} = \frac{27\sqrt{2}\,\pi^5 - \dfrac{4\cdot 3^6 \cdot \pi^8}{h^3}}{2\sqrt{\dfrac{2\cdot 3^6 \cdot \pi^8}{h^2} + 27\sqrt{2}\,\pi^5 h}} = \frac{27\sqrt{2}\,\pi^5 (h^3 - (3\sqrt{2}\,\pi)^3)}{2h^2 \sqrt{27\sqrt{2}\,\pi^5 h^3 + 2\cdot 3^6 \cdot \pi^8}}.$$

$\dfrac{dS}{dh}$ 은 $h > 3\sqrt{2}\,\pi$ 이면 양수이고, $h < 3\sqrt{2}\,\pi$ 이면 음수이다. 따라서 제시문 【다】에 의해 S 는 $h > 3\sqrt{2}\,\pi$ 일 때 증가하고, $h < 3\sqrt{2}\,\pi$ 일 때 감소한다. 따라서, S 가 최솟값을 가질 때 $h = 3\sqrt{2}\,\pi$ 이고, $r = 3\pi$ 이다.

[문제 2] 확률밀도함수 $f(x) = be^{-bx}\ (x \ge 0,\, b > 0)$ 인 확률변수 X 가 1보다 작을 확률은 $\dfrac{1}{3}$ 보다 크지 않고, 2보다 작을 확률은 $\dfrac{1}{2}$ 보다 작지 않을 때, 다음과 같이 정의된 k 의 최

솟값과 최댓값을 구하고 풀이과정을 서술하시오.

$$k = \int_1^b f^{-1}(x)dx$$

$f(x)$의 역함수는 $f^{-1}(x) = -\dfrac{1}{b}\ln\dfrac{x}{b}$이다.

k를 구하기 위해 $x = by$로 치환하여 다음과 같이 적분한다.

$$k = \int_1^b -\frac{1}{b}\ln\frac{x}{b}dx = \int_{\frac{1}{b}}^1 -\ln y\, dy = -y\ln y + y\,\Big|_{\frac{1}{b}}^1 = \frac{1}{b}\ln\frac{1}{b} - \frac{1}{b} + 1$$

k는 b의 함수 $g(b) = \dfrac{1}{b}\ln\dfrac{1}{b} - \dfrac{1}{b} + 1$로 볼 수 있고, 일계도함수는 $g'(b) = \dfrac{1}{b^2}\ln b$이다.

$g'(1) = 0$이고 $0 < b < 1$에서 $g'(b) < 0$이므로 $g(b)$는 감소함수이고, $b > 1$에서는 $g'(b) > 0$이므로 $g(b)$는 증가함수이다.

다음으로 X가 1보다 작을 확률 $P(X < 1) = \int_0^1 be^{-bx}dx = e^{-bx}\Big|_1^0 = 1 - e^{-b} \leq \dfrac{1}{3}$으로부터

$b \leq \ln\dfrac{3}{2} < \ln e = 1$을 알 수 있다. 그리고 2보다 작을 확률은 $\dfrac{1}{2}$보다 작지 않기 때문에

$P(X < 2) = \int_0^2 be^{-bx}dx = 1 - e^{-2b} \geq \dfrac{1}{2}$이어서 $b \geq \ln\sqrt{2}$이다. 즉, b의 범위는

$0 < \ln\sqrt{2} \leq b \leq \ln\dfrac{3}{2} < 1$이다.

b의 범위는 1보다 작으므로 k의 최댓값은 b의 하한인 $\ln\sqrt{2}$일 때, 최솟값은 b의 상한인 $\ln\dfrac{3}{2}$일 때이다. 즉 최댓값과 최솟값은 각각 $g(\ln\sqrt{2})$와 $g\left(\ln\dfrac{3}{2}\right)$이다.

[문제3]

두 벡터 $\vec{a} = \left(\dfrac{1}{\sqrt{3}}, \dfrac{1}{\sqrt{3}}, \dfrac{1}{\sqrt{3}}\right), \vec{b} = (1, 1, 0)$에 대해 벡터 $\vec{a}$와 벡터 $\vec{b}$가 이루는 평면에 있으면서 벡터 $\vec{a}$와 수직이고 x-좌표가 양수인 단위 벡터 $\vec{c}$를 구하라. 그리고, 벡터 $\vec{a}$와 벡터 $\vec{c}$로 이루어진 평면에 수직이고 x-좌표가 양수인 단위 벡터 $\vec{d}$를 구하라. 임의의 벡터 $\vec{e} = (x, y, z)$를 벡터 $\vec{a}$, 벡터 $\vec{c}$, 벡터 $\vec{d}$로 나타내라.

벡터 $\vec{b}$의 종점을 B라고 하고 B에서 벡터 $\vec{a}$에 내린 수선의 발을 C라고 할 때, 벡터 $\vec{c}$는 $\dfrac{\overrightarrow{CB}}{|\overrightarrow{CB}|}, -\dfrac{\overrightarrow{CB}}{|\overrightarrow{CB}|}$ 중에 x-좌표가 양인 벡터이며, 벡터 $\vec{a}$와 벡터 $\vec{b}$가 이루는 평면에서 단위 벡터 $\vec{a}$에 수직인 벡터이다. 이 때,

$$\vec{OC} = |\vec{b}|\cos(\angle BOC)\frac{\vec{a}}{|\vec{a}|} = \frac{|\vec{b}|}{|\vec{a}|}\frac{\vec{a}\cdot\vec{b}}{|\vec{a}||\vec{b}|}\vec{a} = (\vec{a}\cdot\vec{b})\vec{a}$$

이다. 여기서 【나】와 $\vec{a}$가 단위 벡터임을 이용하였다. 따라서,

$$\vec{CB} = \vec{OB} - \vec{OC} = \vec{b} - (\vec{a}\cdot\vec{b})\vec{a} = \left(\frac{1}{3}, \frac{1}{3}, -\frac{2}{3}\right)$$

$$\vec{c} = \left(\frac{1}{\sqrt{6}}, \frac{1}{\sqrt{6}}, \frac{-2}{\sqrt{6}}\right)$$

이다. $\vec{c}$ 의 x-좌표는 양수이다.

【라】에 의해 벡터 $\vec{a}$와 벡터 $\vec{c}$ 에 수직이면 이 두 벡터를 포함한 평면에 수직이다. $\vec{d} = (f, g, h)$ 라 하고, 벡터 $\vec{a}$와 벡터 $\vec{c}$ 에 수직이라는 것과 크기가 1이고, x-좌표가 양이므로

$$f + g + h = 0, \quad f + g - 2h = 0, \quad f^2 + g^2 + h^2 = 1, \quad f > 0$$

을 만족하므로

$$\vec{d} = \left(\frac{1}{\sqrt{2}}, \frac{-1}{\sqrt{2}}, 0\right)$$

이다. 세 벡터 $\vec{a}, \vec{c}, \vec{d}$ 는 서로 수직인 공간 벡터이므로 임의의 벡터 $\vec{e}$ 를 표현할 수 있다.

$$\vec{e} = k\vec{a} + l\vec{c} + m\vec{d}$$

이라면 양변을 벡터 $\vec{a}$로 내적하면

$$\vec{a}\cdot\vec{e} = k\vec{a}\cdot\vec{a} + l\vec{a}\cdot\vec{c} + m\vec{a}\cdot\vec{d} = k$$

이다. 마찬가지로. 양변을 벡터 $\vec{c}$ 로 내적하면

$$l = \vec{c}\cdot\vec{e}$$

이고, 양변을 벡터 $\vec{d}$ 로 내적하면

$$m = \vec{d}\cdot\vec{e}$$

이다, 따라서,

$$k = \frac{x+y+z}{\sqrt{3}}, \quad l = \frac{x+y-2z}{\sqrt{6}}, \quad m = \frac{x-y}{\sqrt{2}}.$$

이므로

$$\vec{e} = \frac{x+y+z}{\sqrt{3}}\vec{a} + \frac{x+y-2z}{\sqrt{6}}\vec{c} + \frac{x-y}{\sqrt{2}}\vec{d}.$$

※ 유의사항
벡터 $\vec{c}$ 를 구할 때와 벡터 $\vec{e}$ 를 세 벡터 $\vec{a}, \vec{c}, \vec{d}$ 로 표현할 때 공간 좌표를 이용하여 다음과 같이 구할 수 도 있다.

벡터 $\vec{c}$ 가 두 벡터 $\vec{a}$ 와 $\vec{b}$ 가 이루는 평면에 있으므로 어떤 두 상수 p, q에 대해

$$\vec{c} = \sqrt{3}\,p\,\vec{a} + q\,\vec{b} = (p+q, p+q, p)$$

로 나타낼 수 있다. 벡터 $\vec{a}$ 와 수직이고, 크기가 1이고, x-좌표가 양임을 이용하면

$$3p + 2q = 0, \; 2(p+q)^2 + p^2 = 1, \; p+q > 0$$

이고, 이를 풀면 $p = -\dfrac{\sqrt{6}}{3}, q = \dfrac{\sqrt{6}}{2}$ 이고,

$$\vec{c} = \left(\frac{1}{\sqrt{6}}, \frac{1}{\sqrt{6}}, \frac{-2}{\sqrt{6}} \right)$$

이다.

$\vec{e} = k\vec{a} + l\vec{c} + m\vec{d}$ 이라고 변수들의 관계식을 구하면

$$x = \frac{k}{\sqrt{3}} + \frac{l}{\sqrt{6}} + \frac{m}{\sqrt{2}}, \; y = \frac{k}{\sqrt{3}} + \frac{l}{\sqrt{6}} + \frac{-m}{\sqrt{2}}, \; z = \frac{k}{\sqrt{3}} + \frac{-2l}{\sqrt{6}}$$

이므로, 연립해서 풀면

$$k = \frac{x+y+z}{\sqrt{3}}, \; l = \frac{x+y-2z}{\sqrt{6}}, \; m = \frac{x-y}{\sqrt{2}}, .$$

$$\vec{e} = \frac{x+y+z}{\sqrt{3}}\vec{a} + \frac{x+y-2z}{\sqrt{6}}\vec{c} + \frac{x-y}{\sqrt{2}}\vec{d}$$

이다.

11. 2019학년도 동국대 수시 기출

[문제 1] 실험 참여자 중에서 임의로 뽑은 한 명의 주사위 값이 2가 나왔을 때, 이 참여자가 윤목을 선택하였을 확률을 관찰하고자 한다. 첫째 날 100명과 이틀 동안 누적된 110명의 실험결과에서의 확률변화를 제시문을 바탕으로 설명하시오.

두 개의 주사위 중에 윤목을 선택하는 사건은 A라 하고, 던진 주사위의 값이 2인 사건을 B라 표시한다. 주사위의 각 값이 나올 확률은, 목제주령구는 1에서 14까지 윤목은 1에서 5까지의 값이 각각 1/14과 1/5이다. 따라서 사건 A와 B를 이용하여 윤목에서의 주사위 값이 2, 목제주령구에서 2가 나올 확률을 표기하면 각각 $P(B|A) = \dfrac{1}{5}$, $P(B|A^c) = \dfrac{1}{14}$ 이 된다.

또한 주사위 값이 2일 확률 $P(B)$는 확률의 합의 공식과 조건부확률을 이용하면 $P(B) = P(A \cap B) + P(A^c \cap B) = P(B|A)P(A) + P(B|A^c)P(A^c)$이 된다.

윤목을 던질 확률을 $P(A) = p$라고 하면, 주사위 값이 2일 때 윤목을 선택할 조건부 확률은 $P(A|B) = \dfrac{P(B|A)P(A)}{P(B)} = \dfrac{p/5}{p/5 + (1-p)/14} = \left(\dfrac{9}{14} + \dfrac{5}{14p} \right)^{-1}$ 이다.

첫 날 100명을 대상으로 진행한 실험에서 윤목을 던질 (통계적) 확률 p는 $\dfrac{30}{100} = 0.3$이

되어 $P(A|B) = \dfrac{42}{77} = \dfrac{6}{11}$가 된다.

여기에 추가 10명의 실험에선 적어도 6명이 윤목을 선택했으므로 전체 110명에서 윤목을 던질 (통계적) 확률 p는 적어도 $\dfrac{30+6}{100+10} = \dfrac{36}{110}$으로 0.3보다 크게 된다.

따라서 $P(A|B)$는 p의 증가함수이므로 110명에서의 $P(A|B)$도 100명에서의 $\dfrac{42}{77} = \dfrac{6}{11}$보다 큰 값을 갖게 된다. 즉 추가된 윤목을 더 선택하는 경향이 있는 집단으로부터 추출된 10명의 실험결과에 의해서 주사위 값이 2인 사람이 윤목을 선택할 확률 $P(A|B)$가 증가되는 자가 수정이 이루어졌다.

[문제 2]

1) $L(0) = 1$, $k > 0$, $N > 1$일 때, 로지스틱 모델 (2)를 만족시키는 $L(t)$는 $0 < L(t) < N$ 임이 알려져 있다. (2)를 $\dfrac{L'(t)}{L(t)(N-L(t))} = k$ 와 같이 변형하고 【다】와【라】를 이용해 양변을 부정적분하여, $L(t)$를 풀이과정과 함께 구하시오.

> 【가】는 세계 인구의 변화를 설명하고, 지금까지 기하급수적으로 증가해서 증가율이 커지는 지수함수의 형태를 따르는 듯이 보이나 가까운 미래에는 증가율이 정체되고 감소할 가능성도 있음을 설명하였다. 【나】는 인구 증가에 대한 함수의 미분 방정식으로 모델링한 지수 증가 방정식과 로지스틱 방정식에 대해서 설명하였다. 【다】와 【라】는 로지스틱 방정식을 따르는 인구함수를 구하는 데 필요한 방법 중 치환적분과 부분분수의 부정적분에 대해서 소개하였다.
> 문제 3.1)은 【다】와【라】를 이용하여 로지스틱 방정식을 따르는 인구함수를 구하는 문제이다.
> 문제 3.2)는 $L(t)$의 개략도를 그리고 이를 바탕으로 두 모델 중 인구증가율의 정체를 잘 설명하는 것이 무엇인 지를 묻는 문제이다. t가 무한대로 갈 때 $L(t)$가 N으로 수렴함을 극한을 이용하여 보인다. $L(t)$의 미분이 양수임을 보임으로 증가함수임을 보인다. 이를 바탕으로 해의 개략도를 그린다. 지수 증가 방정식의 인구함수는 시간이 흐름에 따라 발산하며, 로지스틱 방정식의 인구함수는 시간이 흐름에 따라 N으로 수렴함으로써 로지스틱 방정식 모델이 【가】의 인구 증가율이 정체됨을 더 잘 설명한다고 할 수 있다.

2) 증가/감소와 점근선에 유의하여 $P(t)$와 $L(t)$의 개형을 그리고 이것을 이용하여【가】에서 세계 인구 증가율의 감소를 잘 설명하는 것이【나】의 두 모델 중 어느 것인지 선택하고 그 이유와 함께 설명하시오.

> 식 (2)를
> $$\frac{L'(t)}{L(t)(N-L(t))} = k$$
> 와 같이 변형하고, 양변을 부정적분하면

$$\int \frac{L'(t)}{L(t)(N-L(t))}dt = kt + C_1$$

이다. 제시문 바를 이용하여 좌변을 부분분수 형태로 바꾸고, $\tau = L(t)$로 치환하여 치환적분을 하면

$$\int \frac{L'(t)}{L(t)(N-L(t))}dt = \frac{1}{N}\int \frac{L'(t)}{L(t)} + \frac{L'(t)}{N-L(t)}dt$$

$$= \frac{1}{N}\int \frac{1}{\tau} + \frac{1}{N-\tau}d\tau = \frac{1}{N}\ln\left|\frac{\tau}{N-\tau}\right| + C_2 = \frac{1}{N}\ln\left|\frac{L(t)}{N-L(t)}\right| + C_2$$

이다. $0 < L(t) < N$ 임을 이용하고, $L(0)=1$을 대입하면 $C_1 - C_2 = -\frac{\ln(N-1)}{N}$이다.

위의 식에 넣어서 정리하면

$$\frac{L(t)}{N-L(t)} = e^{-\ln(N-1)}e^{Nkt} = \frac{e^{Nkt}}{N-1}$$

그러므로

$$L(t) = \frac{Ne^{Nkt}}{N-1+e^{Nkt}} = \frac{N}{1+(N-1)e^{-Nkt}}$$

이다,

$$\lim_{t\to\infty}L(t) = \lim_{t\to\infty}\frac{N}{1+(N-1)e^{-Nkt}} = N$$

이므로 t가 무한대로 가면 $L(t)$가 N으로 수렴한다. 미분을 계산하면

$$L'(t) = \frac{kN^2(N-1)e^{-Nkt}}{(1+(N-1)e^{-Nkt})^2}.$$

$L'(t)$는 양수이므로 $L(t)$는 증가함수이다. 따라서, $L(t)$의 개형은 아래 왼쪽과 같고, $P(t)$

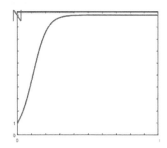
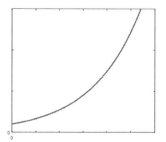

는 지수함수이므로 개형은 아래 오른쪽과 같다.

　　지수 증가 방정식의 해 $P(t)$는 t가 무한대로 갈 때 증가율이 기하급수적으로 늘어나서 발산하나, 로지스틱 방정식의 해 $L(t)$는 t가 무한대로 갈 때 증가율이 줄어들어서 N으로 수렴한다. 따라서, 시간이 커질 때 인구증가율이 정체됨을 잘 설명하는 것은 로지스틱 방정식이다.

12. 2019학년도 동국대 모의 논술

[문제 1] 점 M은 원 B 위의 점이다. 맨 처음 B의 중점 P는 양의 x축 위에 있고 M은 원 A와의 교점이었다. 원 B가 반시계 방향으로 원 A위를 구르면서 제시문 [나]의 그림처럼

이동한다. 선분 $\overline{OP}$가 양의 x축과 이루는 각을 θ라고 할 때, M의 좌표를 (x(θ), y(θ))라고 가정하고 다음 물음에 답하시오.

1) R=r=1 라고 가정하면, x(θ)=2cos(θ) - 2cos(2θ), y(θ)=2sin(θ) - sin(2θ)이다. 점 $\left(0, \dfrac{3^{1/4}(1+\sqrt{3})}{\sqrt{2}}\right)$ 에서 이 곡선의 접선의 기울기를 m이라고 할 때, $3^{1/4}\sqrt{2}\,m$의 값을 구하시오.

곡선

$$x(\theta) = 2\cos(\theta) - \cos(2\theta), \quad y(\theta) = 2\sin(\theta) - \sin(2\theta)$$

이 점 $\left(0, \dfrac{3^{1/4}(1+\sqrt{3})}{\sqrt{2}}\right)$을 지난다. 그래서,

$$0 = 2\cos(\theta) - \cos(2\theta) = 2\cos(\theta) - 2\cos^2(\theta) + 1$$

이고 $\cos(\theta) = \dfrac{1 \pm \sqrt{3}}{2}$ 이다. 그런데, 점 $\left(0, \dfrac{3^{1/4}(1+\sqrt{3})}{\sqrt{2}}\right)$을 지날 때, 점 P가 2사분면 위의 점이므로 $\cos(\theta) = \dfrac{1-\sqrt{3}}{2}$이다.

그런데, $\cos^2(\theta) + \sin^2(\theta) = 1$ 이므로 $\sin(\theta) = \dfrac{3^{1/4}}{\sqrt{2}}$이다. 미분을 하면

$$x'(\theta) = -2\sin(\theta) + 2\sin(2\theta) = -2\sin(\theta)(1 - 2\cos(\theta)) = -\sqrt{2}\,3^{3/4}$$

$$y'(\theta) = 2\cos(\theta) - 2\cos(2\theta) = 2\cos(\theta) - 2(1 - 2\sin^2(\theta)) = \sqrt{3} - 1$$

이므로 기울기 $m = \dfrac{y'(\theta)}{x'(\theta)} = \dfrac{1-\sqrt{3}}{\sqrt{2}\,3^{3/4}}$이다. 따라서 답은 $3^{1/4}\sqrt{2}\,m = 1 - \sqrt{3}$ 이다.

---

2) R=3r 이라고 가정하자. M의 좌표 (x(θ), y(θ)) 를 구하고 이것을 이용하여, 에피사이클로이드 곡선의 길이 L을 구하시오. (단, θ의 범위는 $0 \le \theta \le 2\pi$ 이다.)

$\overrightarrow{OP} = ((R+r)\cos(\theta), (R+r)\sin(\theta)) = (4r\cos(\theta), 4r\sin(\theta))$이고 $\overline{OP}$가 θ만큼 회전하면 작은 원은 $\dfrac{R\theta}{r}$만큼 회전한다. $\overrightarrow{PM}$의 위치벡터가 양의 x축과 이루는 각을 구하면

$$\pi + \frac{(R+r)\theta}{r} = \pi + 4\theta$$이다.

그래서 $\overrightarrow{PM} = (r\cos(\pi + 4\theta), r\sin(\pi + 4\theta)) = (-r\cos(\theta), -r\sin(\theta))$이고

$\overrightarrow{OM} = \overrightarrow{OP} + \overrightarrow{PM} = ((4r\cos(\theta) - r\cos(4\theta), (4r\sin(\theta) - r\sin(4\theta))$이다.

$x(\theta) = 4r\cos(\theta) - r\cos(4\theta), y(\theta) = 4r\sin(\theta) - r\sin(4\theta)$를 각각 미분하면

$x'(\theta) = -4r(\sin(\theta) - \sin(4\theta)), y'(\theta) = 4r(\cos(\theta) - \cos(4\theta))$이다.

따라서 $\sqrt{x'(\theta)^2 + y'(\theta)^2} = 4r(2 - 2\cos(3\theta))^{1/2} = 4r\left(4\sin^2\left(\dfrac{3\theta}{2}\right)\right)^{1/2} = 8r\left|\sin\left(\dfrac{3\theta}{2}\right)\right|$이다.

따라서 구하는 곡선의 길이는 $L = \int_0^{2\pi} \sqrt{x'(\theta)^2 + y'(\theta)^2}\, d\theta$이므로

$L = \int_0^{2\pi} 8r \left| \sin\left(\dfrac{3\theta}{2}\right) \right| d\theta = 3\int_0^{2\pi/3} 8r\sin\left(\dfrac{3\theta}{2}\right) d\theta$이다. **정적분을 계산하면**

$L = 24r \int_0^{2\pi/3} \sin\left(\dfrac{3\theta}{2}\right) d\theta = \left[-16r\cos\left(\dfrac{3\theta}{2}\right) \right]_0^{2\pi/3} = 32r$**이다.**

※ 유의사항

R=3r의 관계로부터 $L = 32r = 8(R+r) = \dfrac{32R}{3}$**가 모두 답이다.**

[문제 2] 시간 t일 때 수직선 위를 움직이는 점 A의 위치를 s(t)라고 하자. 미분가능한 함수 s(t)는 $s(t) = \int_0^t \dfrac{\sqrt{2}}{2\sqrt{2} + \cos x + \sin x}\, dx$를 만족한다. (단, t는 $t \geq 0$ 를 만족한다.)

모든 $t \geq 0$ 에 대하여 $\dfrac{1}{3} \leq s'(t) \leq 1$임을 보이고, [나]를 이용하여 $\dfrac{t}{3} \leq s(t) \leq t$임을 보이시오. 그리고 점 B의 위치가 $s_2(t) = 10 + \dfrac{1}{6}t$이면, $s(t) - s_2(t) = 0$인 시간 t가 적어도 한 번 있음을 보이시오.

$\cos x + \sin x = \sqrt{2}\cos\left(x - \dfrac{\pi}{4}\right) = \sqrt{2}\sin\left(x + \dfrac{\pi}{4}\right)$**이므로**

$\sqrt{2} \leq 2\sqrt{2} + \cos x + \sin x \leq 3\sqrt{2}$**이다. 따라서 역수를 취하고** $\sqrt{2}$**를 곱하면, 모든 실수 x에 대하여**

$$\dfrac{1}{3} \leq \dfrac{\sqrt{2}}{2\sqrt{2} + \cos x + \sin x} \leq 1$$

를 만족한다. 따라서 $\dfrac{1}{3} \leq s'(t) = \dfrac{\sqrt{2}}{2\sqrt{2} + \cos t + \sin t} \leq 1$**이다. t>0이면**

$$\dfrac{s(t) - s(0)}{t - 0} \leq s'(t_0)$$

인 t_0**가 존재한다. 따라서** $\dfrac{1}{3} \leq \dfrac{s(t) - s(0)}{t - 0} \leq \dfrac{s(t)}{t} \leq 1$ **이므로** $\dfrac{t}{3} \leq s(t) \leq t$ **이다. 마지막** $h(t) = s(t) - s_2(t) = s(t) - \left(10 - \dfrac{1}{6}t\right)$**라고 놓으면,**

$$h(12) = s(12) - s_2(12t) \leq 12 - s_2 12 = 0$$

이다. 즉, $h(60) \geq 0$ **이다.** $h(t)$**는 연속함수이므로 사잇값의 정리에 의해** $h(t) = 0$**인 t가 적어도 하나 존재한다.**

13. 2018학년도 동국대 수시 논술

아래 그림의 두 평행선 사이는 배가 지나갈 만큼 충분히 깊은 물로 채워져 있고 물의 움

직임은 없다고 가정하자. 선분 $\overline{AB}$는 평행선에 수직이고 길이는 a (km)이다. 두 지점 B, C의 거리는 b (km)이다. 그림과 같이 철수는 우선 A에서 배를 타고 v (km/h)의 속도로 P까지 강을 건넌 후에 1 (km/h)의 속도로 C까지 걸어가려고 한다. B, P 사이의 거리를 x (km)라고 하면 x는 $0 \leq x \leq b$를 만족한다. 배의 속도 v에 대해 철수가 C에 도착하는 시간이 최소가 되는 B와 P의 거리 x(v)를 구하는 과정을 기술하시오. (단, a, , c는 모두 양수이고 답안지에 단위는 생략할 수 있음.)

배의 속도가 v이고 B, P의 거리가 x일 때, 철수가 C에 도착하는 시간을 구하면

$$T(x) = \frac{\sqrt{a^2 + x^2}}{v} + (b - x)$$ 이다. 이 함수가 최솟값을 갖는 x를 구하면 된다. 이 함수를 미분하면 다음과 같다

$$T'(x) = \frac{x}{v\sqrt{a^2 + x^2}} - 1 = \frac{1}{v\sqrt{a^2 + x^2}}(x - v\sqrt{a^2 + x^2})$$

위 미분값 $T'(x) = 0$이기 위한 필요충분조건은 $x = v\sqrt{a^2 + x^2}$ 이다. $x = v\sqrt{a^2 + x^2}$ 를 만족하는 x가 존재하려면 $(1 - v^2)x^2 = v^2 a^2$을 만족해야 한다. v<1라고 가정하고 로 놓자.

위 미분값 이기 위한 필요충분조건은 이다. 를 만족하는 가 존재하려면 만족해야 한다. $x_0 = \frac{va}{\sqrt{1 - v^2}}$라고 가정하고 로 놓자.

먼저, $v = \frac{b}{\sqrt{a^2 + b^2}}$인 경우를 생각해 보자. 이 경우 $x_0 \leq b$ 이다. $0 < x < x_0$ 이면 $T'(x) \leq 0$ 이고 $x_0 < x < b$이면 $T'(x) > 0$이므로 $T'(x)$는 x_0에서 최솟값을 갖는다. 따라서 $x(v) = \frac{va}{\sqrt{1 - v^2}}$ 이다. 반대로 $v > \frac{b}{\sqrt{a^2 + v^2}}$라고 가정하자. 그러면 $0 < x < b$에서 $T'(x) < 0$이므로 T는 $0 \leq x \leq b$ 에서 감소함수이다. 따라서 $x(v) = b$에서 T가 최소이다.

마지막으로 정리해 보면 다음과 같다.

(1) $v \leq \frac{b}{\sqrt{a^2 + v^2}}$ 이면 $x(v) = \frac{va}{\sqrt{1 - v^2}}$ 이다.

(2) $v > \frac{b}{\sqrt{a^2 + v^2}}$ 이면 $x(v) = b$이다.

14. 2018학년도 동국대 모의 논술

밑면의 반지름 길이가 r, 높이가 h인 원기둥 모양의 용기를 만들 때, 용기의 부피는 일정하게 하고, r과 h의 길이를 조정하여 용기를 만드는 재료를 최소화하려고 한다면, 원기둥 밑면의 반지름의 길이 r과 높이 h의 비 (r : h)를 어떻게 하면 되는지 [가] ~ [나]를 참고하여 논술하시오.

밑면의 반지름의 길이가 r, 높이가 h인 원기둥의 겉넓이 $A(r) = 2\pi r^2 + 2\pi hr$이고, $V(r) = \pi hr^2$이다. 부피가 일정하다고 했으므로 $V(r) = 1$로 놓고 h를 구하면,

$\pi r^2 h = 1$에서 $h = \dfrac{1}{\pi r^2}$이다.

$h = \dfrac{1}{\pi r^2}$을 식 $A(r) = 2\pi r^2 + 2\pi hr$에 대입하여 정리하면

$$A(r) = 2\pi r^2 + 2\pi hr = 2\pi r^2 + 2\pi \frac{1}{\pi r^2 r} = 2\pi r^2 + \frac{2}{r}$$

이 된다. $4\pi r^3 - 2 = 0$이다. 겉넓이 $A(r)$이 최소가 되는 r을 구하기 위하여 $A'(r) = 0$이 되는 r을 구하면,

$A'(r) = 4\pi r - \dfrac{2}{r^2} = \dfrac{4\pi r^3 - 2}{r^2}$에서 $A'(r) = 0$이므로 $4\pi r^3 - 2 = 0$이다. h와 r의 관계를 알

아보기 위해 $\dfrac{h}{r}$을 계산해 보면,

$$\frac{h}{r} = \frac{\sqrt[4]{4\pi^2}}{\pi} \text{이므로}$$

따라서 h가 r의 길이의 2배일 때, 겉넓이가 최소가 된다. 그러므로 부피가 일정한 원기둥 용기를 만드는 재료를 최소화하려고 한다면, 원기둥 밑면의 반지름의 길이 r과 높이 h의 길이의 비 r : h = 1 : 2로 조정하면 된다.

15. 2017학년도 동국대 수시 논술

제시문에 주어진 적분을 이용하여 구의 부피를 구하고, 철수와 영희가 쌓은 모양에 대한 구의 밀도 식 값의 크기를 비교하여, 누가 정해진 컨테이너 박스 안에 더 많은 구를 쌓을 수 있는지 논술하시오.

반지름이 r인 구의 부피 $= 2\displaystyle\int_0^r \pi(r^2 - x^2)dx = 2\pi\left[r^2 x - \dfrac{1}{3}x^3\right]_0^r = \dfrac{4}{3}\pi r^3$ 이다.

1. 철수의 방법에서 기본공간을 한 변의 길이가 a인 정육면체로 잡으면 각 꼭지점에는 반지름의 길이가 r인 구가 $\dfrac{1}{8}$개씩 있고 중앙에 1개의 구가 있다. 따라서 기본공간 안에는

1+s × $\dfrac{1}{8}$ =2 개의 구가 들어 있다. 한편 정육면체의 대각선을 따라 3개의 구가 접하고 있으므로 a와 r의 관계는 $\sqrt{3}a = 4r$이다.

따라서 쌓기 밀도 식

$$= \frac{2\left(\dfrac{4}{3}\pi r^3\right)}{a^3} \times 100 = \frac{\dfrac{8}{3}\pi\left(\dfrac{\sqrt{3}}{4}a\right)^3}{a^3} \times 100 = \frac{\sqrt{3}\pi}{8} \times 100$$ 이다. 영희의 방법에서 기본공간을

한 변의 길이가 a인 정육면체로 잡으면 각 꼭지점에는 반지름 길이가 r인 구가 개씩 있

고, 각 면마다 $\frac{1}{2}$개의 구가 있다. 따라서 기본공간 안에는 $6 \times \frac{1}{2} + 8 \times \frac{1}{8}$개의 구가 들어

있다. 한편 정육면체의 각 면의 대각선을 따라 3개의 구가 서로 접하고 있으므로, a와 r

의 관계는 $\sqrt{2}a = 4r$이다. 따라서 쌓기 밀도 식은

$$= \frac{4\left(\frac{4}{3}\pi r^3\right)}{a^3} \times 100 = \frac{\frac{16}{3}\pi\left(\frac{\sqrt{2}}{4}a\right)^3}{a^3} \times 100 = \frac{\sqrt{2}\pi}{6} \times 100$$

이다. 또한 $\frac{\sqrt{3}}{8} < \frac{\sqrt{2}}{6}$ 이므로 $\frac{\sqrt{3}\pi}{8} \times 100 < \frac{\sqrt{2}\pi}{6} \times 100$이다. 따라서 영희의 구 쌓기 밀도

식 값이 철수의 구 쌓기 밀도 식 값 보다 크므로, 영희가 철수보다 정해진 컨테이너 박스

안에 더 많은 구를 쌓을 수 있다고 결론 내릴 수 있다.

16. 2017학년도 동국대 모의 논술

제시문 [가], [나]를 참고하여 다음에 답하시오. 어떤 유행성 감기가 완치되는데 걸리는

시간을 나타내는 연속확률변수를 X라고 놓고 연속확률변수 X가 폐구간 [0,20]에서 값을

갖는다고 가정하자. 연속확률변수 X의 확률밀도함수가 $f(x) = \begin{cases} ax, 0 \le x \le 10 \\ c, \quad 10 \le x \le 20 \end{cases}$ 라고 한다.

함수 $f(x)$가 폐구간 [0,20]에서 연속일 때 a 와 c를 구하고, 이 감기를 완치하는데 걸리

는 평균시간 E(x)를 구하시오.

X의 확률밀도함수 $f(x) = \begin{cases} ax, 0 \le x \le 10 \\ c, \quad 10 < x < 20 \end{cases}$가 연속이므로 x=10 일 때, 함수값과 극한값

이 같다. 이로부터 $10a = f(a10) = \lim_{x \to 10-} f(x) = c$임을 알 수 있다. 또한 확률밀도함수의

정의로부터

$$1 = \int_0^{30} f(x)dx = \int_0^{10} ax\,dx + \int_{10}^{20} c\,dx = \left[\frac{ax^2}{2}\right]_0^{10} + [cx]_{10}^{20} = 50a + 10c$$

임을 알 수 있다. 즉, c=10a 이고 50a+10c=1이므로 $a = \frac{1}{150}, c = \frac{1}{15}$이다. 평균시간을

구해보자. $B(x) = \int_0^{20} xf(x)\,dx$이므로

$$B(x) = \int_0^{20} xf(x)dx = \int_0^{10} \frac{x^2}{150}dx + \int_{10}^{20} \frac{x}{15}dx$$

$$= \left[\frac{x^2}{150}\right]_0^{10} + \left[\frac{x^2}{30}\right]_{10}^{30} = \frac{1000}{450} + \frac{400 - 100}{30}$$

$$= \frac{20}{9} + 10 = \frac{110}{9}$$

이다. 정리하면 $a = \frac{1}{150}, c = \frac{1}{15}, B(X) = \frac{110}{9}$ 이다.

17. 2016학년도 동국대 모의 논술

[문제 1] 제시문 【다】에서 주어진 현수선 $y=f(x)$위의 두 점 $(-a, f(-a))$와 $(a, f(a))$ 사이의 현수선의 길이를 제시문 【나】를 이용하여 구하시오. 길이가 6m인 줄의 양끝을 같은 높이로 고정하였을 때 줄의 가운데가 양끝 고정점에 비하여 1m 아래로 늘어뜨려졌다고 가정하고, 이 줄의 모양이 제시문 【다】의 현수선 $y=f(x)$에 제시문 【가】에서 설명한 닮음변환에 의하여 얻어진 곡선과 같다고 할 때, 닮음비 k를 구하고 줄의 양끝 고정점 사이의 거리를 계산하시오.

제시문 나에서 주어진 공식에 의하여 제시문 다에서 주어진 현수선 $y=f(x)$위의 두 점 $(-a, f(-a))$과 $(a, f(a))$사이의 현수선의 길이는

$$\int_{-a}^{a}\sqrt{1+(\frac{e^x-e^{-x}}{2})^2}\,dx=2\int_{0}^{a}\sqrt{(\frac{e^x+e^{-x}}{2})^2}\,dx$$

$$=\int_{0}^{d}(e^x-e^{-x})dx=e^a-e^{-a}$$

이다. 이 곡선을 닮은비가 k인 닮은 변환으로 변환하면 거리가 $2ka$인 같은 높이의 두] 점 사이 현수선의 길이는 $k(e^a-e^{-a})$이다. 이때 가운데 점은 양 끝점보다 높이가 $kf(a)$만큼 낮다. 줄
의 길이가 6 m이고 줄의 가운데가 1 m 늘어져 있으므로

$$k(e^a-e^{-a})=6, \qquad kf(a)=k(\frac{e^a-e^{-a}}{2}-1)=1$$

이다. 두 번째 식에 값를 더하고 제곱한 것에서 첫 번째 식의 반의 제곱을 빼주면

$$k^2=(k+1)^2-9$$

따라서 $k=4$이고 $e^a=2$, 즉 $a=\ln2$이다. 따라서 양끝 고정점 사이의 거리는 $2ka=8\ln2$ 이다.

---

18. 2016학년도 동국대 수시 논술

[문제] 시각 t에서 좌표평면 위를 움직이는 점 $P(x,y)$의 x와 y $x=e^{-t}\cos t$, $y=e^{-t}\sin t$ 일 때 시각 t에서 점 P의 속도와 가속도를 구하고 $t=2$에서 속력을 제시문 (나)를 이용하여 풀이 과정과 답을 서술하시오. 그리고 $t=0$에서 $t=\pi$ 까지 점 P가 움직인 거리를 제시문 (다)를 이용하여 풀이 과정과 답을 서술하시오.

$\frac{dx}{dt}=-e^{-t}(\cos t+\sin t)$, $\frac{dy}{dt}=-e^{-t}(\sin t-\cos t)$ 이므로 속도는

$$\vec{1v}=(-e^{-t}(\cos t+\sin t),\ -e^{-t}(\sin t-\cos t))\text{이다.}$$

$$\frac{d^2x}{dt^2}=e^{-t}(\cos t+\sin t)-e^{-t}(\cos t-\sin t)=2e^{-t}\sin t,$$

$$\frac{d^2y}{dt^2}=e^{-t}(\sin t-\cos t)-e^{-t}(\cos t+\sin t)=-2e^{-t}\cos t$$

이므로, 가속도는 $\vec{a} = (2e^{-t}\sin t, -2e^{-t}\cos t)$ 이다. 시각 t에서 속력이

$$|\vec{v}| = \sqrt{\left(\frac{dx}{dt}\right)^2 + \left(\frac{dy}{dt}\right)^2} = \sqrt{(-e^{-t}(\cos t + \sin t))^2 + (-e^{-t}(\sin t - \cos t))^2}$$

$= \sqrt{2}e^{-t}$이므로, $t = 2$에서 속력은 $\sqrt{2}e^{-2}$ 이다. 그리고 $t = 0$ 에서 $t = \pi$까지 점 P가 움직인 거리는

$$s = \int_0^\pi |\vec{v}|dt = \int_0^\pi \sqrt{2}e^{-t}dt = \sqrt{2}\left[-e^{-t}\right]_0^\pi = \sqrt{2}(1 - e^{-\pi})$$

이다.

19. 2015학년도 동국대 수시 논술

[문제] 최대 2 m/s²로 가감속할 수 있는 모형자동차로 일직선으로 25 m 지점까지 주행하고자 한다. 출발시각부터 16 m 지점을 통과하는 시각까지 평균 속도가 2 m/s라고 할 때, 25 m를 주행하는 데 적어도 9초가 필요함을 제시문 【가】, 【나】, 【다】를 이용하여 설명하시오. (단, 모형자동차는 출발지점에서 정지 상태이며 후진을 하지 않고 일직선으로만 주행한다.)

$v(t)$를 시각 t일 때 속도라고 하면 처음 16m 구간의 평균속도가 $2m/s$이므로 출발한지 8초 후에 16m 지점을 통과해야 한다. 따라서 $\int_0^8 v(t)dt = 16$이다. 가속도가 $2m/s^2$ 이하이므로 평균값 정리에 의해 $\dfrac{v(t) - v(8)}{t - 8} \leq 2 \ (t > 0)$이다. 따라서 $0 < t < 8$일 때,

$v(t) \geq 2t - 16 + v(8)$이고 $t > 8$일 때, $v(t) \leq 2t - 16 + v(8)$이다. $v(t) \geq 0$을 가정하였으므로

$$16 = \int_0^8 v(t)dt \geq \int_{8 - v(8)/2}^8 (2t - 16 + v(8))dt = \frac{v(8)^2}{4}.$$

따라서 $0 \leq v(8) \leq 8$이다. 또한,

$$\int_0^9 v(t)dt = \int_0^8 v(t)dt + \int_8^9 v(t)dt \leq 16 + \int_8^9 (2t - 16 + v(8))dt \leq 16 + \int_8^9 (2t - 8)dt = 25.$$

따라서 처음 9초 동안 이동한 거리는 25m 이하이므로 25m를 이동하는 데는 적어도 9초 이상 필요하다.

20. 2011학년도 동국대 수시 논술

[문제 1] 현재 환율이 1달러에 1,00원이라고 하자. 달러의 가치가 원화에 대비하여 매년 2/3씩 하락한다면, 10년 후와 20년 후 각각의 1달러 대비 원화 금액의 첫 번째 자리 숫자가 무엇인지 제시문 【다】에서 설명한 상용로그 가수를 이용하여 계산하시오. (단, log2=0.3010, log3-0.4771을 사용하며, 풀이 과정을 포함하여 기술하시오.)

달러의 가치가 매년 $\frac{2}{3}$씩 감소한다고 하였으므로 10년 후에는 1달러 대비 원화 금액은

$1,000 \times \left(\frac{2}{3}\right)^{10}$이 되고 20년 후에는 그 값이 $1,000 \times \left(\frac{2}{3}\right)^{20}$이 된다. 따라서 각각의 경우 1

달러 대비 원화 금액의 상용로그 값은

$$3+10(\log 2 - \log 3) = 3+10(0.3010-0.4771) = 1.239 = 1+0.239$$
$$3+20(\log 2 - \log 3) = 3+20(0.3010-0.4771) = -1.239 = -1+0.478$$

이고 가수는 각각 0.239와 0.478이다. 어떤 양수 N의 첫 번째 자리의 숫자가 d라는 것은 $N = a \times 10^n$ (N은 정수, $1 \le a < 10$)의 꼴로 나타냈을 때 $d \le a < d+1$라는 것이므로,

$\log N$의 가수는

$$\log d \le \log a < \log(d+1)$$

을 만족한다. 따라서 제시된 조건 $\log 2 = 0.3010$, $\log 3 = 0.4771$에 의하여 $\log 1 = 0 \le 0.239 < \log 2$이고 $\log 3 < 0.478 < \log 4 = 2\log 2$임을 알 수 있으므로 첫 번째 자리의 숫자는 각각 1과 3이다.

- 10년 후의 달러 환율의 첫 번째 자리의 숫자 : 1
- 20년 수의 달러 환율의 첫 번째 자리의 숫자 : 3

[문제 2] 제시문 【가】에서 설명한 첫 번째 자리의 숫자의 분포에 대한 법칙을 상용로그 가수의 분포를 통하여 찾고자 한다. 첫 번째 자리의 숫자의 분포를 따르는 상용로그 가수의 확률변수가 제시문 【라】에서 설명한 확률밀도함수를 가진다고 하자. 제시문 【나】에서 설명한 단위에 의존하지 않는다는 가정을 이용하여 상용로그 가수의 확률밀도함수를 구하시오. 이때 첫 번째 자리의 숫자가 2일 확률을 구하시오. (단, 풀이과정을 포함하여 기술하시오.)

자료의 단위를 다른 단위로 바꾸는 것은 자료의 값에 단위환산률을 곱한다는 것이다. 여기에 상용로그를 취하면 환산율의 로그를 더해준 값이 된다. 임의의 단위환산율을 곱하여 상용로그를 취해도 가수의 분포가 변하지 않는다고 제시문 [나]를 통하여 가정하였으므로 상용로그 가수의 확률변수 X는 다음을 만족한다.

$$P(a \le X \le b) = P(a+c \le X \le b+c)$$

단, $a, b, a+c, b+c \in [0,1)$

주어진 가정에 의하여 X는 확률밀도함수 $f(x)$를 가진다고 하자. 제시문 [라]의 (3)에 의하여 $\int_a^b f(x)dx = \int_{a+c}^{b+c} f(x)dx$이고, 모든 $a, a+c \in [0,1)$에 대하여

$$f(a) = \lim_{b \to a} \frac{1}{b-a} \int_a^b f(x)dx = \lim_{b \to a} \frac{1}{b-a} \int_{a+c}^{b+c} f(x)dx = f(a+c)$$

이다. 즉, $f(x)$는 상수함수이다. $f(x)$는 제시문 [라]의 (2)에서 $\int_{\infty}^{\infty} f(x)dx = 1$이고

$f(x)$는 [0, 1)에서 정의된 함수이므로, $f(x) = 1$ $0 \leq x \leq 1$이다.

  자료의 첫 번째 자리의 숫자가 2일 확률은 자료의 상용로그의 가수가 $\log 2$보다 크거나 같고 $\log 3$보다 작을 확률과 같으므로

$$P(\log 2 \leq X \leq log 3) = \int_{\log 2}^{\log 3} 1 dx = \log 3 - \log 2$$

이다.

- **확률밀도함수 :** $f(x) = 1,$ $0 \leq x \leq 1$ **으로 주어진 확률밀도함수**
- **첫 번째 자리의 숫자가 2가 나올 확률 :** $\log 3 - \log 2 \fallingdotseq 0.1761 = 17.61\%$

21. 2013학년도 동국대 수시 논술

[문제 1] 시간조건이 $0 \leq t \leq 3$일 때 어떤 차량의 연료 소모량 $g(t)$가 아래와 같다고 가정하자.

$$g(t) = \int_{0}^{t} (2x^3 - 15x^2 + 36x)\,dx$$

  주어진 시간조건에서 이 차량의 시간당 연료 소모량이 최대가 되는 t의 값과 풀이를 기술하시오. (단, 시간당 연료 소모량은 $g'(t)$이다.)

  연료 소모량이 함수의 적분으로 표현되어 있을 때, 시간당 연료 소모량은 그 적분의 미분을 통해 구할 수 있다. 우선 제시문에 의해 경제속도는 전체공급된 에너지의 양과 사용된 양을 비교한다. 즉, $\dfrac{\text{사용된 에너지}}{\text{전체 에너지}}$이다. 이 값이 최대일 판단하면 된다. 이 경우 곡선에 접선하는 기울기를 통해 판단할 수 있다. 그런데 각 축에 사용한 단위가 서로 다르므로 실제 기울기가 갖는 의미를 확인할 필요가 있다. X축(속도 km/h)이고, Y축은(L/h)이다. 이 식은

$$\text{접선의 기울기} = \frac{\Delta y}{\Delta x} = \frac{\dfrac{L}{h}}{\dfrac{km}{h}} = L/km,\ 0 \leq t \leq 3$$

이 된다. 접선의 기울기가 최소가 되어야 하므로 $0 \leq t \leq 3$를 고려하여 다음식을 계산 할 수 있다.

$$g(t) = \int_{0}^{t} (2x^3 - 15x^2 + 36x)\,dx$$

$g'(t)$가 최대일 때 값이 연료소묘량의 최대가 된다.

$$g'(t) = (2t^3 - 15t^2 + 36t)$$
$$g''(t) = (6t^2 - 30t + 36) = 6(t-2)(t-3)$$

위 식을 증감표를 나타내보면 다음과 같다. 해가 t가 각각, 2와 3의 해를 구할 수 있다. 2에서 증가와 감소가 이루어졌으로 t=2에서 최대값이 됩니다.

t	0		2		3
$g''(t)$		+		−	
$g'(t)$		↗		↘	

[문제 2] 어떤 차량의 속도와 시간당 연료 소모량의 그래프가 아래의 그림과 같다. $y = \frac{1}{3}x^3 - x^2 + 9,\ x \geq 0$ 일 때, 이 차량의 시간당 연료 소모량이 최소가 되는 속도와 경제속도를 제시문의 내용을 바탕으로 각각 구하고 풀이를 기술하시오.

연비와 경제속도의 정의와 함께 시간당 연료 소모량과 속도에 관한 그래프로부터 경제속도를 구하는 방법이 제시문에 나타나있다. 제시문의 방법을 문제에 그대로 적용하여, 주어진 함수가 최소가 되는 지점과 원점을 지나는 직선이 곡선에 접하는 지점을 찾는다.

$y = \frac{1}{3}x^3 - x^2 + 9,\ x \geq 0$ 일 때

연료의 소모량에 따른 속도와 경제 속도를 판단하여야 한다. 시간당 연료소모양이 최소인 지점은 그래프의 최저점을 나타내고 이에 반해 경제속도는 접선의 기울기가 최저일 때를 판단하여야 한다.

시간당 연료소모량을 함수의 미분을 통하면 $y' = x^2 - 2x = 0$이고 $x(x-2) = 0$이 된다. 이 식을 통해 $x = 0, x = 2$가 방정식의 해를 확인 할 수 있다. 최솟점은 증감표를 통해 $x = 2$ 일 때 최솟값을 나타낸다.

x		0		2	
y'	+	0	−	0	
y	↗		↘		↗

경제속도는 다음과 같다. 원점을 지나는 접선방정식의 식은 $y = ax$로 나타내고, 주어진 식이 $y = \frac{1}{3}x^3 - x^2 + 9$이므로 접선에서의 식은 다음과 같다.

$$\frac{1}{3}x^3 - x^2 + 9 = ax$$

이때 접선의 교점을 $\left(t, \frac{1}{3}t^3 - t^2 + 9\right)$라 하면, 이점에서의 기울기는 $m = t^2 - 2t$가 된다.

$y = ax + b$의 기본식에 대입하여 정리하면 기울기과 y절편을 통해 나타낼 수 있다.

$$y = (t^2 - 2t)(x - t) + \left(\frac{1}{3}x^3 - x^2 + 9\right)$$

$$y - \left(\frac{1}{3}x^3 - x^2 + 9\right) = (t^2 - 2t)(x - t) \ \text{단,}\ (x = 0, y = 0)$$

$$-\frac{1}{3}t^3 + t^2 - 9 = -t^3 + 2t^2$$

$$\frac{2}{3}t^3 + t^2 - 9 = 0$$

$$2t^3 - 3t^2 - 27 = 0$$

$$(t-3)(2t^2 + t + 9) = 0$$

윗 식을 통해 $t=3$ 혹은 $(2t^2 + t + 9) = 0$ 허근을 나온다. 그러므로 경제속도는 실근이어야 하므로 3이 된다.

22. 2012학년도 동국대 수시 논술

[문제 1] 제시문을 이용하여 아래 회색 영역에 해당하는 $\int_0^\pi \sin x \, dx$를 추정하는 방법을 설명하시오.

적분 영역을 포함하는 표본공간으로 가로 세로 각각 π와 1인 직사각형을 생각한다. x는 0에서 π 사이에, y는 0에서 1 사이에서 동일한 가능성을 갖고 추출된 난수를 이용하여 모의 좌표 (x,y)를 생성한다. 생성된 모의 좌표들 중에 x축과 $\sin x$사이의 영역에 해당하는 모의 좌표의 비율을 계산한다. 이 비율에 표본공간의 면적 중에 회색 영역의 면적의 비율과 같다. 따라서 전체면적 π를 곱하면 적분의 결과가 된다.

[문제 2] 제시문 [나]의 그림에서 점선 왼쪽과 오른쪽에 동일 수량의 전단을 살포했다고 가정한 경우 회색 영역의 면적을 추정하는 방법을 설명하시오.

[예시 답안1] 표본공간 점선의 왼쪽과 오른쪽의 크기가 서로 다른데 동일량의 전단지가 뿌려졌다면 상대적으로 오른쪽에 더 많이 뿌려진 것이다. 즉, 표본공간에 전단지가 균일하게 뿌려졌다는 가정에 위배된다. 따라서 해당 영역의 면적을 구하기 위해서는 왼쪽 부분에서의 회색영역과 오른쪽 부분에서의 회색영역의 면적을 각각 구한 후 합산해야 한다. 표본공간의 왼쪽부분에서 회색영역에 떨어진 전단지 비율을 p_1, 오른쪽부분의 전단지 비율을 p_2라 하고, 왼쪽과 오른쪽 표본공간의 넓이가 각각 $1.5(\mathrm{km}^2)$와 $0.5(\mathrm{km}^2)$이므로 회색영역의 넓이는 $1.5p_1 + 0.5p_2 (\mathrm{km}^2)$으로 추정할 수 있다.

[예시답안2] 표본공간의 점선의 왼쪽과 오른쪽의 크기가 서로 다른데 동일량의 전단지가 뿌려졌다면 표본공간에 전단지가 균일하게 뿌려졌다는 가정에 위배된다. 다만, 오른쪽의 전단지 1장을 왼쪽의 전단지 3장에 해당하는 것으로 간주한다면 전체적으로 동일한 밀도로 살포된 것으로 볼 수 있다. 따라서, 표본공간의 왼쪽과 오른쪽 회색영역에 떨어진 전단지 개수를 각각 f_1과 f_2라 하고, 오른쪽에 뿌려진 총 전단지 수를 n이라 하면, 전체 표본공간에서 회색영역에 뿌려진 전단지의 비율은 $\dfrac{3f_1 + f_2}{4n}$으로 환산할 수 있다. 그러므로 회색영역의 면적은 $\dfrac{3f_1 + f_2}{4n} \times 2(\mathrm{km2})$으로 추정할 수 있다.

23. 2011학년도 동국대 수시 응용

[문제 1] 제시문 [가]에 나타난 두 지역 A, B의 부유물 양은 시간이 지남에 따라 각각

x, y로 수렴한다. 즉 $x = \lim_{n \to \infty} a_n$, $y = \lim_{n \to \infty} b_n$이 성립한다. 이때 x, y를 구하는 과정을 기술하시오.

답 안 1

두 지역 A, B의 부유물 양의 극한값을 각각 $x = \lim_{n \to \infty} a_n$, $y = \lim_{n \to \infty} b_n$ 라고 하였으므로,

두 식 $a_{n+1} = \dfrac{2}{3}a_n + \dfrac{1}{3}b_n$, $b_{n+1} = \dfrac{1}{3}a_n + \dfrac{2}{3}b_n$으로 부터 $x = \dfrac{2}{3}x + \dfrac{1}{3}y$,

$y = \dfrac{1}{3}x + \dfrac{2}{3}y$가 성립함을 알 수 있다. 따라서 $x = y$이다.

또한, 두 식 $a_{n+1} = \dfrac{2}{3}a_n + \dfrac{1}{3}b_n$, $b_{n+1} = \dfrac{1}{3}a_n + \dfrac{2}{3}b_n$을 합하면, $a_{n+1} + b_{n+1} = a_n + b_n$ $(n = 1, 2, 3, \ldots)$이다. 그러므로 $a_1 = 10000, b_1 = 70000$ 으로부터 $a_n + b_n = a_{n-1} + b_{n-1} = \cdots = a_1 + b_1 = 80000 \, (n = 1, 2, 3, \ldots)$이 성립함을 알 수 있다. 따라서 $x + y = \lim_{n \to \infty}(a_n + b_n) = 80000$ 마지막으로 x, y에 관한 두 식 $x = y$, $x + y = 80000$으로부터, $x = 40000$, $y = 40000$임을 알 수 있다.

답 안 2

두 식 $a_{n+1} = \dfrac{2}{3}a_n + \dfrac{1}{3}b_n$, $b_{n+1} = \dfrac{1}{3}a_n + \dfrac{2}{3}b_n$을 합하면, $a_{n+1} + b_{n+1} = a_n + b_n$ $(n = 1, 2, 3, \ldots)$이다. 그러므로 $a_1 = 10000$, $b_1 = 70000$으로부터

$a_n + b_n = a_{n-1} + b_{n-1} = \cdots = a_1 + b_1 = 80000$ $(n = 1, 2, 3, \ldots)$이 성립함을 알 수 있다.

또한, 제시문 [가]에서와 같이 두 식

$$a_{n+1} = \dfrac{2}{3}a_n + \dfrac{1}{3}b_n \ , \ b_{n+1} = \dfrac{1}{3}a_n + \dfrac{2}{3}b_n$$

이 성립하므로, $a_{n+1} = \dfrac{2}{3}a_n + \dfrac{1}{3}(80000 - a_n) = \dfrac{1}{3}a_n + \dfrac{80000}{3}$ 이다.

$x = \lim_{n \to \infty} a_n$이므로, $x = \dfrac{1}{3}x + \dfrac{80000}{3}$ 이고, $x = 40000$, $a_n + b_n = 80000$을 이용하면 $x + y = 80000$이고, $y = 40000$이다. 따라서, $x = \lim_{n \to \infty} a_n = 40000$, $y = \lim_{n \to \infty} b_n = 40000$이다.

[문제 2] n월 초 지역 C, D의 부유물 양을 각각 c_n, d_n이라고 하자$(n = 1, 2, 3)$. 또한, C와 D 외의 다른 지역으로부터 부유물의 유입이 없고, 부유물이 새로 생성되거나 사라지지 않는다고 가정하자. 1월에는 지역 C의 부유물 $1/5$이 지역 D로 이동하고, 지역 D의 부유물 $2/5$가 지역 C로 동시에 이동하였다. 2월에는 지역 C의 부유물 $3/5$이 지역 D로 이동하고, 지역 D의 부유물 $2/5$가 지역 C로 동시에 이동하였다. 만족하는 c_n, d_n을 구하는 과정을 제시문 [가]를 참조하여 기술하시오.

위 제시문 [가]에 나타난 방법을 적용하면,

두 지역 C, D의 부유물 양을 각각 c_n, d_n으로 나타낼 수 있다. 1월한 달 동안 지역 C의 부유물은 $\frac{1}{5}$이 지역 D로 이동하고, C의 부유물은 $\frac{4}{5}$만큼 남아 있고, 지역 D의 부유물 $\frac{2}{5}$이 지역 C로 이동하였다. 2월에는 지역 C의 부유물은 $\frac{3}{5}$이 지역 D로 이동하고, C의 부유물은 $\frac{2}{5}$만큼 남아 있고, 지역 D의 부유물 $\frac{2}{5}$이 지역 C로 이동하였다.

따라서 1월에는 $c_2 = \frac{4}{5}c_1 + \frac{2}{5}d_1$, $d_2 = \frac{1}{5}c_1 + \frac{3}{5}d_1$이 된다. 또한 2월에는 $c_3 = \frac{2}{5}c_2 + \frac{2}{5}d_2$, $d_3 = \frac{3}{5}c_2 + \frac{3}{5}d_2$가 된다. 그러므로 $(n+1)$월 초 각 부유물은 다음과 같다.

$$c_{n+1} = \frac{2}{5}\left(\frac{4}{5}c_n + \frac{2}{5}d_n\right) + \frac{2}{5}\left(\frac{3}{5}d_n + \frac{1}{5}c_n\right)$$

$$d_{n+1} = \frac{3}{5}\left(\frac{4}{5}c_n + \frac{2}{5}d_n\right) + \frac{3}{5}\left(\frac{3}{5}d_n + \frac{1}{5}c_n\right)$$

가 된다. 그러므로 지역 C의 부유물은

$$c_{n+1} = \frac{2}{3}c_n + \frac{2}{3}d_n$$

으로 표현할 수 있다. 같은 방법으로 지역 D의 부유물은

$$d_{n+1} = \frac{3}{5}c_n + \frac{3}{5}d_n$$

으로 나타낼 수 있다.

24. 2010학년도 동국대 수시 논술

[문제] 다음 두 수열 $a_1 = 3$, $a_2 = 5$, $a_3 = 2$와 $b_1 = 6$, $b_2 = -1$, $b_6 = 3b_4 = 7$, $b_5 = 2$, $b_6 = 3$을 생각해 보자. a_i를 $b_1, b_2, b_3, \ldots$ 수열의 첫 번째부터 $2i$번째 수까지에서 각각 빼준 값들 모두를 더해 근을 구하고자 한다. 이에 대해 제시문 내용의 활용방안을 기술하고 근을 구하시오.

수열 a_i를 $b_1, b_2, b_3, \ldots$ 수열의 첫 번째부터 $2i$번째 수까지에서 각각 빼준 값들 모두를 더한 합은 제시문의 예를 통해 구할 수 있다. 즉, 제시문에서의 $\sum_{i=1}^{10}\sum_{j=1}^{2i}(a_i + b_j)$를 $\sum_{i=1}^{3}\sum_{j=1}^{2i}(b_j - a_i)$으로 바꾸어 풀면 된다. 뿐만 아니라 $\sum_{i=1}^{3}\sum_{j=1}^{2i}(b_j - a_i)$는

$$\sum_{j=1}^{3}(b_{2j-1} + b_{2j})(4-j) - \sum_{i=1}^{3}a_i(2i)$$

와 동일함을 알 수 있고 $b_1=6$, $b_2=-1$, $b_3=-2$, $b_4=7$, $b_5=2$, $b_6=3$에 있어서 $(b_{2j-1}+b_{2j})$가 모두 5가 됨을 알 수 있다. 이러한 사실들을 종합하면 문제에서 요구하는 답은 $5 \times (3+2+1) - (3 \times 2 + 5 \times 4 + 2 \times 6) = -8$이 된다.

[문제 2] 제시문 [나]에서 인구가 충분히 많다고 가정하고, 로렌츠 곡선을 2번 미분가능하다고 하자. 또 로렌츠 곡선이 직선인 구간이 없다고 가정한다면, 로렌츠 곡선은 그림처럼 언제나 아래로 볼록이다. 그 이유를 수학적으로 설명하시오.

로렌츠 곡선 y=L(x)는 소득이 하위 x에 해당하는 인구의 소득의 합계가 전체 소득에서 차지하는 비율의 함수이다. 따라서 로렌츠곡선의 도함수 L'(x)는 소득이 하위 x와 x+△x에 들어가는 인구의 소득의 합이 전체소득에서 차지하는 비율을 △x으로 나눈 후, △x를 0으로 보내는 극한값이다. 즉,

$$L'(x) = \lim_{\Delta x \to 0} \frac{L(x+\Delta x) - L(x)}{\Delta x}$$

이다. 따라서, 전체인구를 P, 전체 소득의 합을 I라고 하면,

$$L'(x) = \lim_{\Delta x \to 0} \frac{(L(x+\Delta x) - L(x)) \cdot I}{\Delta x \cdot P} \cdot \frac{P}{I}$$

$$= \lim_{\Delta x \to 0} \frac{\text{소득이}\, x \text{와}\, x+\Delta x \,\text{사이인 인구의 소득}}{\text{소득이}\, x \text{와}\, x+\Delta x \,\text{사이인 인구}} \cdot \frac{P}{I}$$

이다. 인구가 매우 많다고 하면 근사적으로

$$L'(x) = \frac{\text{소득하위}\, x \,\text{인 사람의 소득}}{\text{평균 소득}}$$

이다. 따라서, 로렌츠곡선의 도함수 L'(x)는 단조증가한다. 로렌츠 곡선이 2번 미분가능하고 직선인 구간을 포함하지 않는다고 했으므로 L''(x)>0이다. 따라서 로렌츠 곡선은 아래로 볼록이다.

25. 2010학년도 동국대 수시 논술

[문제 1] 수열을 수식으로 표현하는 두 가지 방법에 관해 제시문을 근거로 서술하시오.

제시문의 수열 a_n이 일반항 $a_n = 2n-1$ 또는 점화식 $a_n = a_{n-1} + 2$, $a_1 = 1$으로 표현할 수 있듯이 수열은 일반항과 점화식의 두 가지 형태로 표현할 수 있다. 일반항은 수열의 n번째 항의 값을 n의 함수식으로 정의한 것이다. n번째 항을 바로 구할 수 있다는 점과 수열의 합과 같은 연산의 편이성에서 일반항의 유용성을 확인할 수 있다. 한편, 점화식은 수열의 처음 값들의 정의와 n번째 항의 값을 n 이전 항들의 함수식으로 나타낸 것이다. 피보나치 수열 예에서와 같이 일반항보다는 수열들 간의 관계를 설명하고 이해하는 데 점화식이 더 유용하다.

[문제 2] 피보나치 수열의 점화식을 이용하여 황금비의 값을 구하는 방법에 관해 서술하시오.

피보나치 수열의 연속되는 두 항의 비의 극한이 존재하고 황금비와 일치함을 제시문에서 기술하였다. 이를 사용하여 황금비를 구하기 위해서 피보나치 수열의 또 다른 형태의 점화식 $\dfrac{b_n}{b_{n-1}} = \dfrac{b_{n-2}}{b_{n-1}} + 1$을 살펴보도록 한다. $\dfrac{b_n}{b_{n-1}}$과 $\dfrac{b_{n-1}}{b_{n-2}}$의 극한은 동일하고 이를 편의상 x라 하면 점화식으로부터 방정식 $x = \dfrac{1}{x} + 1$을 구할 수 있다. 물론 이 방정식은 이차방정식 $x^2 - x - 1 = 0$으로 볼 수 있으며 근의 공식을 통해 x의 값을 구할 수 있다. 주의할 사항은 피보나치 수열은 음수가 아니므로 x는 양수가 되어야 한다는 점이다. 따라서 근의 공식으로부터 구해지는 두 값 중에 양수인 것이 황금비가 된다.